だいじょうぶ3組

乙武洋匡

講談社

だいじょうぶ3組

もくじ

『だいじょうぶ3組』は、子どもたちにも
読みやすいように、おおよそ5年生以上で
習う漢字には、読みがなをつけました。

イラストレーション・題字……長崎訓子
撮影協力……東京都文京区立青柳小学校六年二組
写真……山田和幸（カバー・帯）　森清（カバー袖）
ブックデザイン……日下潤一
本文組版……長田年伸＋荒井千文＋新井結衣

プロローグ

校庭のすみに一本だけ植えられた桜《さくら》が、子どもたちを見守るようにやさしく枝《えだ》を伸《の》ばしている。薄紅色《うすべにいろ》の花びらは、春の陽射《ひざ》しを浴びてふんわりと輝《かがや》いていた。

「これより、松浦西《まつうらにし》小学校の一学期始業式を始めます」

進行役をつとめる副校長のあいさつに続いて、校長の黒木智恵子《くろきちえこ》が銀色の朝礼台に上がっていく。濃紺《のうこん》のスーツに、パールのネックレス。整った顔立ちは、五十代を迎《むか》えたとは思えないほど若々《わかわか》しい。黒木は背筋《せすじ》をまっすぐに伸ばして朝礼台の中央に立つと、校庭にならぶ五百名を超《こ》す子どもたちの顔をゆっくりと見わたした。

「みなさんは、今日から新しい学年を迎えます。それぞれ、新しい学年としての自覚を持って――」

横を向いておしゃべりをしている子。前にならぶ友達の背中を指でつついている子。手に持ったかばんを振《ふ》りまわしている子。子どもたちは落ちつかない様子で、黒木の言葉など聞きながしていた。ムリもない。これから、彼《かれ》らにとっての一大イベントである担任《たんにん》発表が控《ひか》えているのだ。黒木は、内心苦笑いをして、目をつぶることにした。

全校児童で校歌を歌いおえると、黒木がふたたび朝礼台に上がった。

「では、この四月から松浦西小に来てくださった先生や職員《しょくいん》の方をご紹介《しょうかい》します」

その言葉を合図に五人の教職員が朝礼台の前へ進みでると、子どもたちのほうを向いて一列にならんだ。同時に、大きなどよめきが起こる。左端《ひだりはし》から二番目の男が、だれもがそうするように二本の足で立っているのではなく、いままで見たこともないマシンに乗って、ほほえんでいるのだ。

一番手として新任の若《わか》い女性教師《じょせいきょうし》があいさつをしたが、子どもたちの視線《しせん》は別のところに釘《くぎ》づけになってしまっている。さっきの男が気になって仕方ないのだ。

「続いては、赤尾慎之介《あかおしんのすけ》先生です」

子どもたちの視線を一身に浴びながら、男はぐいとマシンを前に出した。

「おおっ」

「すごい!」

短い歓声《かんせい》があがる。先ほどの女性教師は朝礼台の上からあいさつをしていたが、このマシンではどうにも上がれそうにない。朝礼台のわきに用意されたスタンドマイクのところまでマシンで近づいた赤尾は、座席《ざせき》から伸《の》びあがるようにしてマイクに顔を近づけると、大きく息を吸《す》いこんだ。

「みなさん、おはようございます！」

「おはようございます！」

子どもたちが元気よく返事をする。

短く刈《か》りこんだ黒髪《くろかみ》。なだらかなアーチを描《えが》く太い眉《まゆ》。意志《いし》の強さを感じさせるアーモンド形の目。ライトグレーのスーツに、この日の桜《さくら》に合わせたかのような淡《あわ》いピンク色のネクタイ。上半身だけがまるで宙《ちゅう》に浮《う》いているかのように見えるのは、ボタン操作《そうさ》ひとつで座席《ざせき》が上下する、特注した電動車いすに乗っているせいだ。いちばん高い位置まで座席を上げると約百七十センチもの〝身長〟となり、ほかの教職員《きょうしょくいん》とも肩《かた》をならべるほどになる。

赤尾は、あいさつを続けた。

「先生は、今日、こうしてみなさんと出会えることを、とても楽しみにしていました。これからいっしょに勉強したり、遊んだり、給食を食べたり——たくさんの思い出をつくっていきましょう」

ひとつひとつの言葉にうなずくように、子どもたちは赤尾の言葉に耳をかたむけている。

「ただひとつ、みんなにお願いがあります」

校庭は静まりかえり、つぎの言葉を待った。

「見てのとおり、先生には手と足がありません」

赤尾が両腕《りょううで》を前へと突《つ》きだす。すると、スーツの袖《そで》がだらりと垂《た》れさがり、柳《やなぎ》のようにゆらゆらと揺《ゆ》れた。

「きゃっ」

「気持ち悪い」

低学年の女の子から、痛々《いたいた》しいまでに正直な感想がもれる。

ひじまでしかない両腕。ひざまでしかない両足。赤尾には、生まれながらにして四肢《しし》が与《あた》えられていなかった。あまりに奇妙《きみょう》な身体《からだ》に、たいていの人は大きく目を見開いて赤尾のことを振《ふ》りかえる。だが、幼《おさな》いときから何百回、何千回と同じような視線《しせん》を浴びつづけてきた彼《かれ》には、そんな周囲の反応《はんのう》さえも楽しんでしまうようなところがあった。

赤尾は、にこやかに続けた。

「だから、先生にはできないことがたくさんあります。これから、先生と過《す》ごしていくなかで、『あ、先生、困《こま》ってるな』と感じたときには、ぜひお手伝いをしてください」

最後に、晴れやかな笑顔《えがお》で「よろしくお願いします」と頭を下げると、子どもたちは、ありったけの声で同じ言葉を返してくれた。

「続いては、白石優作《しらいしゆうさく》先生です」

赤尾のつぎに紹介《しょうかい》されたのは、白石という青年だった。電動車いすに乗った赤尾の背《せ》の高さとほぼ同じ、百七十センチ前後の身長。やさしそうな丸顔に、少しだけウェーブのかかった髪《かみ》。中学時代からかけはじめた茶色いべっこうのメガネが、顔によくなじんでいる。紺《こん》色《いろ》のスーツに紺色のネクタイという地味な配色は、目立つことを好まない白石の性格《せいかく》をよく表していた。

「ぼくは、赤尾先生の介助員《かいじょいん》としてこの学校にやってきました」

白石がそうあいさつをすると、子どもたちはふしぎそうな顔をした。

(あ、そうか……。『カイジョ』という言葉の意味がわからないのだな)

白石はすぐに説明を加えた。

「さっき先生も言っていたけれど、赤尾先生にはできないこともあります。そのお手伝いをするのが、ぼくの役目なんです」

頭の中に「?」を浮《う》かべていた子どもたちの顔に、ようやく笑顔《えがお》がもどった。白石は、子どものときから相手がどんな気持ちでいるのか、どんな不安を抱《いだ》いているのかを敏感《びんかん》に感じとり、相手に合わせて行動することが得意だった。

赤尾と白石をふくめた教職員《きょうしょくいん》五人の紹介《しょうかい》がすべて終わると、校庭の空気がにわかに変わりはじめた。副校長の灰谷慎一《はいたにしんいち》が、うやうやしく朝礼台に上がる。

「それでは、今年一年間、お世話になる担任《たんにん》の先生を発表します」

その言葉に、校庭からは一気におしゃべりやさけび声が噴《ふ》きだした。「静かに。静かにしましょう！」という灰谷の呼《よ》びかけもむなしく、子どもたちが落ちつきを取りもどすまでには、しばらく時間がかかった。

「一年一組、藤川《ふじかわ》のぞみ先生」

「一年二組、……」

灰谷が一クラスずつ発表していくたび、歓声《かんせい》がわき、ため息がもれる。そこには、「またこの先生に担任《たんにん》してもらえる」というよろこびや、「ああ、ちがうクラスの担任になってしまうんだ」という落胆《らくたん》など、子どもたちの素直《すなお》な感情《かんじょう》がこもっていた。

発表は、高学年に差しかかっていく。

「五年一組、青柳秀子《あおやぎひでこ》先生」

「五年二組、紺野鷹志《こんのたかし》先生」

灰谷が、少し、間を置いた。

「五年三組、赤尾慎之介先生。介助員《かいじょいん》として白石優作先生」

いままでで、いちばん大きなどよめきが起こった。校庭じゅうの視線《しせん》が、五年三組へと注がれる。それは、どこか羨望《せんぼう》に近い色もふくまれていた。

だが、当の五年三組の子どもたちは、どんなリアクションをとったらいいものかとまどっていた。興味《きょうみ》は、ある。なんとなく、うれしい気持ちもする。でも――。

「だいじょうぶ、なのかなあ……」

列のうしろあたりにならんでいた男子のつぶやきが、二十八名の〝ほんとうのところ〟を代弁《だいべん》していた。

赤尾は、そんな子どもたちの不安そうな表情《ひょうじょう》を見逃《みのが》さずにいた。背《せ》の高い車いすの上から、じっと五年三組の子どもたちを見つめ、彼《かれ》らひとりひとりの心に届《とど》くよう、強く、強く、念じていた。

「だいじょうぶ、だいじょうぶだよ」

第一章　フツーじゃない先生

東京《とうきょう》都心部のベッドタウンとして人口を増《ふ》やしてきた松浦市《まつうらし》は、新宿駅《しんじゅくえき》から急行で四十分ほどの位置にある。市の中心部を南北に走る松浦川は、すきとおるような春の朝日を浴びながら、ゆったりと流れていた。川の両岸には、数年前に整備《せいび》されたばかりの遊歩道が寄《よ》りそうように延《の》びている。薄緑色《うすみどりいろ》と灰色《はいいろ》のブロックが交互《こうご》に敷《し》きつめられた舗装《ほそう》道路。ややペンキの塗《ぬ》りムラが目立つ黒い鉄柵《てっさく》。等間隔《とうかんかく》にならべられた木製《もくせい》のふたりがけベンチ。川岸を縁取《ふちど》るように植えられた桜《さくら》の木々はすでに八分咲《はちぶざ》きとなり、川面《かわも》におおいかぶさるように淡《あわ》いピンク色のトンネルをつくりだしていた。

四月とはいえ、朝七時を回ったばかりの風は、まだまだ冷たい。肩《かた》をならべて歩くふたりの男も、スーツの上に着こんだスプリングコートの襟《えり》を立て、松浦駅から職場《しょくば》へと向かっていた。

「しかし、昨日の始業式は緊張《きんちょう》したよなあ」

「慎《しん》ちゃん、ちょっと顔がひきつってたんじゃない？」

「んなことないよ。でも……子どもたちが笑顔《えがお》で迎《むか》えてくれて、ホッとしたよな」

「うん、やっぱり慎ちゃんにとって、初対面はほかの人以上に大事になってくるもんね」

白石《しらいし》は、もう二十年も前になる赤尾《あかお》との出会い——あまりにインパクトのある身体《からだ》に、ランドセルの肩《かた》ベルト部分をただにぎりしめ、じっと赤尾の姿《すがた》を見つめていた入学式の日のことを思いだしていた。

「このへんもさ、むかしはただのデコボコ道だったのにな。ずいぶんと歩きやすくなったもんだ」

わずか二十センチほどしかない短い腕《うで》で車いすのレバーを器用に操作《そうさ》しながら、赤尾もまたむかしをなつかしんでいた。

「慎ちゃん、小学校の頃《ころ》からこの道を通るたびに『痔《じ》になる、痔になる！』ってさけんでたもんね」

「そりゃそうだ。車いすであのデコボコ道を歩きつづけるしんどさが、おまえにはわからないだろう」

「わかってるよ。だって、『おまえもこの苦労を味わえ』って、何度も慎ちゃんの車いすにむりやり乗せられたじゃないか」

「ん、そんなことあったっけ？」

白石は、「またこれだ」と苦笑いしながら肩《かた》をすくめた。

赤尾とは、小学校時代からの同級生。家が近所だったこともあって、学校の行き帰りも放課後も、いつもいっしょに過《す》ごした。体育の着替《きが》え。図工で彫刻刀《ちょうこくとう》を使うとき。音楽でリコーダーを吹《ふ》くときは、白石が指を動かし、赤尾が息を吹きこむという二人羽織《ににんばおり》のような演奏《えんそう》で、クラスじゅうの喝采《かっさい》を浴びた。赤尾の横には、いつも白石がいた。

「慎之介《しんのすけ》のこと、いつも助けてくれてありがとうな」

小学校時代も、中学校時代も、担任教師《たんにんきょうし》からはいつも同じようなセリフを言われてきた。だが、そのたびに白石は心のなかでつぶやいていた。

「わかってないなあ……」

もともとが引っこみ思案で、自分に自信を持つことができずにいた白石にとって、クラスで一、二を争うほど勉強ができ、いつも学級委員を任《まか》されるような積極性《せっきょくせい》とリーダーシップを持った赤尾は、どこかまぶしい存在《そんざい》だった。いや、ただまぶしさを感じていただけではない。ふしぎだったのだ。両手両足がないという絶望的《ぜつぼうてき》な境遇《きょうぐう》にありながら、なぜこんなにも屈託《くったく》のない明るさで人をひきつけ、逆境《ぎゃっきょう》にも逃《に》げることなく立ち向かっていくことができるのか。その答えは、知りあって二十年がたったいまでも見つかっていない。だが、そのことについて考えていると、ふしぎと自分にもエネルギーがわいてくるような気がしていた。高校進学を機に別々の道を歩んでいたが、二年前の春から２ＤＫのマンションを借りていっしょに住むことになったのも、白石が提案《ていあん》したことだった。

「でもさ、優作《ゆうさく》。まさかオレらが〝先生〟になるなんてな!」

松浦川に架《か》かる橋のなかでも最も大きな黒崎橋《くろさきばし》が見えてきた。ここまで来ると、松浦西小までは、のんびり歩いても五分はかからない。赤尾の口調が、いままでより少し熱を帯びてきた。

「慎ちゃんは先生だけど、ぼくはちがうよ。あくまで慎ちゃんの介助員《かいじょいん》という立場だから」

「変わんないよ。どうせ子どもたちからは、『白石センセー』とか呼《よ》ばれるんだから」

「まあ、それはそうかもしれないけど……」

大学卒業後、赤尾は小学生の頃《ころ》から得意だったコンピュータの技術《ぎじゅつ》を生かし、プログラマーとして働いていた。健常者《けんじょうしゃ》のように指でキーボードを叩《たた》くことはできないが、スティックのような特殊《とくしゅ》な形をした短い腕《うで》は打ちたいキーを正確《せいかく》にとらえ、またつぎのキーへとすばやく移動《いどう》していく。短い腕がキーボードの上をネズミ花火のように目まぐるしく動く様子は、ほとんど曲芸に近かった。

「このまま、この仕事を一生続けていくんだろうか」

そんな疑問《ぎもん》を抱《いだ》きはじめたのは、一年前のことだ。とくにきっかけがあったわけではない。ただ、入社から五年目を迎《むか》え、毎日パソコンの画面と向きあい、ひたすら英数字を打ちこむ無機質《むきしつ》な日々に、「この先、何十年とこの生活が続くのか」と深い暗闇《くらやみ》にもぐっていくような不安を感じはじめたのだ。

「もっと血の通った仕事がしたい」

心のすみに芽生えた小さな思いが日に日に育っていくのを、赤尾は感じていた。

白石は大学卒業後、地元・松浦市役所に就職《しゅうしょく》した。最初に配属《はいぞく》されたのは、環境保全《かんきょうほぜん》課《か》。おもに松浦川の水質浄化《すいしつじょうか》に関する業務《ぎょうむ》にたずさわった。つぎに配属されたのが、教育委員会事務局の人事企画《じんじきかく》課。市長の方針《ほうしん》で教育に力を注いできた松浦市では、新たなプランとして「教員の独自採用《どくじさいよう》」を考えていた。

ふつう、教員は各都道府県で採用される。だが、松浦市は条例《じょうれい》を改正して、市の予算で独自に教員を採用できるよう準備《じゅんび》を進めていた。市議会との調整もつき、制度上《せいどじょう》の運用としては目鼻がついていたが、いちばん重要な「どんな人材を採用するのか」という点については、まだ答えが出ていなかった。元ラグビー日本代表選手、有名進学塾《しんがくじゅく》の人気講師《こうし》、町の実力者でもあるPTA会長経験者《けいけんしゃ》——会議ではさまざまな名前があがっていたが、いずれも予算の都合や教員免許《めんきょ》の問題がネックとなり、決め手を欠いていたのだ。

そんなとき、白石の脳裏《のうり》に親友の顔が浮《う》かんだ。大学時代、赤尾が「小学校で教師をやってみたい」と、いつもながらの無謀《むぼう》な夢《ゆめ》を語っていたことを思いだしたのだ。白石は、会議が終わると急いで携帯電話《けいたいでんわ》を取りだした。

「あ、慎ちゃんさあ、たしか大学のとき、教職取ってたよね？」

「ああ、いちおうな。でも、ダメだったよ。採用試験《さいようしけん》、実技《じつぎ》で『ピアノ』と『水泳』があるんだぜ。手足のないオレなんか、門前払《もんぜんばら》い。そんな教員は必要ないってことだろうな」

「もし、それが論文《ろんぶん》と面接《めんせつ》だけだとしたら——」

重度の障害《しょうがい》がありながら、前向きに社会参加を果たしてきたひとりの若者《わかもの》。その経験《けいけん》を教師《きょうし》として子どもたちに伝えていくことは、文部科学省が提唱《ていしょう》する「生きる力の育成」に必ずやプラスになるはず——。白石の提案に、教育委員会も前向きに検討《けんとう》を始めた。

黒板への板書はどうするのか。理科の実験器具はあつかえるのか。子どもが牛乳《ぎゅうにゅう》びんを割《わ》ってしまった場合、だれがガラスの破片《はへん》をかたづけるのか。赤尾は、白石を交えて何度も教育委員会と話し合いの場を持った。電動車いすの教員が誕生《たんじょう》した際《さい》の「if《イフ》」を徹底的《てっていてき》に洗《あら》いだし、解決策《かいけつさく》を練った。その結果、介助員《かいじょいん》という形で赤尾の手助けをするスタッフがつけば、ほとんどの課題が解決できることがわかった。そして、その介助員には当然ながら、気心の知れた幼《おさな》なじみである白石が選ばれることになった。

「ついに、始まるんだな」

「うん。まさか、こんな形で慎ちゃんと仕事をすることになるとはね」

「感謝《かんしゃ》してるよ。優作がオレの夢《ゆめ》をかなえてくれたんだから」

「なんだよ、急にあらたまって。行こう、新学期早々に遅刻《ちこく》なんかしたら、なに言われるかわかったもんじゃない」

「そうだな」

赤尾が手元のスイッチを切りかえると、車いすのスピードが、ぐんと上がった。

「あ、高速モードはずるいぞ！」

大きく曲がりながら続いていく薄紅色《うすべにいろ》のトンネルの下を、ふたりの男が駆《か》けていった。


松浦西小学校は、松浦川の西側の閑静《かんせい》な住宅街《じゅうたくがい》にある。全学年三クラス編成《へんせい》、全校児童は五百二十四名。少子化の影響《えいきょう》で児童数が減少《げんしょう》している昨今では、この程度《ていど》でも大規模校《だいきぼこう》の部類に入る。

市内に二十二の小学校があるうち、バリアフリー化が進んでいるのは四校のみ。なかでも八年前に改築《かいちく》されたばかりの松浦西小には、エレベーターが設置《せっち》されているばかりか、体育館やプール、校庭など、車いすでどこへ行くにも移動《いどう》しやすいようスロープが設《もう》けられている。体育館のわきにはスペースを広く取った車いす用トイレまであり、電動車いすで生活する赤尾には申し分ない環境《かんきょう》と言えた。

鉛色《なまりいろ》の鉄柵《てっさく》が左右に開く正門を通り、広々とした校庭を右手に見ながら数十メートル進むと、用務主事室《ようむしゅじしつ》のわきに教職員用玄関《きょうしょくいんようげんかん》がある。そこから校舎《こうしゃ》のなかに入り、事務室、校長室を通りすぎると、右手に職員室の扉《とびら》が見えてくる。赤尾は、大きく息を吸《す》いこんだ。

「おはようございます！」

無機質《むきしつ》な灰色《はいいろ》の扉《とびら》を白石が片手《かたて》でスライドさせると、赤尾が器用に車いすをすべりこませる。すでに半数以上の職員《しょくいん》が顔をそろえていたが、返事はまばら。四月一日の初出勤《はつしゅっきん》からすでに一週間近くがたとうとしていたが、どうもこの拍子抜《ひょうしぬ》けする朝の空気が、赤尾にはなじめなかった。

白石にスプリングコートを脱《ぬ》がせてもらうと、赤尾はぐるりと職員室を見回した。職員室の前方にある大きな黒板の前には、副校長の灰谷《はいたに》がすわっている。細身の体に、ややつりあがった細い目。整髪料《せいはつりょう》でまとめた髪《かみ》には、少し白いものがまじっている。よほど几帳面《きちょうめん》な性格《せいかく》なのか、机《つくえ》の上の書類はいつ見ても乱《みだ》れることなく整頓《せいとん》されていた。毎朝ずいぶん早くから出勤しているようで、赤尾が来る頃《ころ》には、いつもかたわらに置かれたマグカップのコーヒーが半分以上なくなっていた。

灰谷の席以外は、学年ごとに座席《ざせき》が分かれており、それぞれ〝シマ〟と呼《よ》ばれていた。同じ学年を担任《たんにん》していれば相談事項《じこう》も多く、席が近いほうが何かと便利なのだ。音楽や図工を担当する教員は「専科《せんか》」と呼ばれ、専科もまた〝シマ〟をつくっていた。

赤尾が属《ぞく》する五年生のシマは、前方の扉を入ってすぐのところにある。いちばん手前の席に赤尾。そのとなりに介助員《かいじょいん》の白石。赤尾の向かいには、学年主任をつとめる青柳《あおやぎ》の席があり、そのとなりに二組を担任する紺野《こんの》がすわっていた。

赤尾が席につくと、さっそく、ななめ向かいの紺野が小声で話しかけてきた。

「なあ、今度の金曜日、空いてる？」

口元に笑《え》みを浮《う》かべながら、ビールのジョッキをかたむける仕草をしている。百八十センチ近い長身に、こんがりと日焼けした肌《はだ》。教員にはめずらしいサラサラの茶髪《ちゃぱつ》。ＮＩＫＥ《ナイキ》のウィンドブレーカーに身を包んだその姿《すがた》からは、ひと目でスポーツマンであることがわかる。年齢《ねんれい》は赤尾たちより少し上、三十歳《さい》を過《す》ぎたあたりだろうか。

それにしても紺野の誘《さそ》いにはおどろいた。新年度がスタートしたばかりの四月といえば、教員にとってはもっとも忙《いそが》しい時期。児童名簿《めいぼ》や電話連絡網《れんらくもう》、学年通信や学級通信とさまざまに作成しなければならないものがあるし、漢字ドリルや計算ドリルなど、これから使用する教材もじっくり選ばなくてはならない。教室にもどれば、クラスの人数に合わせた机《つくえ》の配置を考えたり、掲示物《けいじぶつ》を準備《じゅんび》したりと、こなさなければならない仕事が山のようにあるのだ。そんな忙しいなかで「飲みに行こう」と誘ってくる紺野の軽《かろ》やかさは、職員室《しょくいんしつ》のなかであきらかに異質《いしつ》だったが、しかし、その異質さが赤尾には救いのようにも感じられた。

「空いてますよ。行きましょう」

赤尾がＯＫ《オーケー》サインを出すと同時にうしろの扉《とびら》が開き、やけに響《ひび》く靴音《くつおと》が近づいてきた。五年生の学年主任《しゅにん》をつとめる青柳だった。早くから出勤《しゅっきん》して教室で仕事をしていたらしく、腕《うで》に抱《かか》えたプラスチック製《せい》のかごには、いくつもの書類が窮屈《きゅうくつ》そうに積まれている。

黒いヘアピンで留《と》めただけの髪《かみ》。化粧《けしょう》っ気《け》のない顔。水色のニットセーターに白のウィンドブレーカーという教師《きょうし》でなければけっしてしないような服装《ふくそう》は、ファッションというものにおよそ関心がないことを伝えている。

青柳が自分の席につくと、それまで白い歯を見せていた紺野からはすっと笑顔《えがお》が消えた。つい先ほどまで楽しそうに週末の予定を話していたというのに、なに食わぬ顔でパソコンに向かっている。その変わり身の早さに、赤尾は妙《みょう》に感心してしまった。

「おはようございます」

向かいあわせとなった学年主任《しゅにん》に、赤尾は軽く頭を下げた。

「ああ、おはようございます」

青柳はちらりと視線《しせん》を向けただけで、とくに表情《ひょうじょう》を変えることもなく、朝のあいさつをすませた。五年生のシマに、紺野のパソコンを打つ音だけが響《ひび》く。

「わたし、認《みと》めてませんから」

青柳が、赤尾のほうを見ることもなく話しかけてきた。

「は、はい？」

「昨日の始業式でのあいさつです。『困《こま》っていることがあれば、手伝ってください』って。赤尾先生にできないことがあるのは認めます。でも、そのために白石先生がついているのでしょう。われわれは教師ですよ。どうして、子どもに手伝ってもらわなくてはいけないんですか」

そこまで言いきると、青柳はふたたび席を立ち、靴音《くつおと》を響《ひび》かせて職員室《しょくいんしつ》を出ていった。赤尾は何も言葉を返すことができなかった。うしろで強く扉《とびら》が閉《し》められる音を聞きながら、自分の席からただぼんやりと窓《まど》の外をながめていた。

まもなく、始業を知らせるチャイムが鳴った。机《つくえ》の上のノートパソコンを閉《と》じ、書類を小わきに抱《かか》えて立ちあがった紺野が、ポーンと赤尾の肩《かた》を叩《たた》いて言った。

「さあ、行くぞ。子どもたちが待ってる」

赤尾と白石は校舎《こうしゃ》のいちばん奥《おく》にあるエレベーターに乗りこみ、三階のボタンを押《お》した。前日は始業式のみで子どもたちは早々に下校したため、本格的《ほんかくてき》な顔合わせはこれがはじめてとなる。

「5－3」

木彫《きぼ》りのプレートがかかった教室の前まで来ると、ふたりは目を合わせ、深くうなずいた。白石が扉を開ける。

「みんな、おはよう！」

赤尾は大きな声を響かせて教室へ入っていくと、教卓《きょうたく》の前で車いすを停《と》めた。そして、ゆっくりと子どもたちのほうに向きなおる。ひとりひとりの表情《ひょうじょう》が、よく見えた。これからどんな一年が始まるのだろうと期待に目を輝《かがや》かせている子。見たこともない奇抜《きばつ》な身体《からだ》を、じろじろとながめてよいものかと視線《しせん》を泳がせる子。この車いすに乗った障害者《しょうがいしゃ》が、ほんとうに担任《たんにん》としてやっていけるのだろうかと不安を抱《いだ》いている子。そこには、さまざまな視線があった。

「それじゃあ、いまから出席を取ります。大きな声で返事をしてください」

子どもたちはふしぎそうに担任の顔を見つめている。出席を取るはずなのに、出席簿《しゅっせきぼ》は棚《たな》に立てかけたままなのだ。赤尾は、かまわず続けた。

「荒木慎吾君《あらきしんご》」

「は、はい」

「安藤京子《あんどうきょうこ》さん」

「はい……」

赤尾はひとりひとりの顔を見つめながら、笑顔《えがお》で呼《よ》びかけていった。まだ自己紹介《じこしょうかい》もしていないうちから自分の名前を呼ばれた子どもたちは、おどろきながらも、うれしそうな、そして照れくさそうな表情《ひょうじょう》を浮《う》かべている。

「和田祥太《わだしょうた》君」

「はい！」

二十八名全員をまちがえることなく呼びおえると、子どもたちの間から自然と拍手《はくしゅ》がわき起こった。

「先生、すごい！」

前担任《ぜんたんにん》から借りた遠足の集合写真と名簿《めいぼ》をもとに、必死で顔と名前を一致《いっち》させてきた。ひとりでもまちがえれば、その子を傷《きず》つけてしまうことになる。二十八人分を完璧《かんぺき》に暗記する自信がなければ、とてもできない芸当だった。

子どもたちの自己紹介《じこしょうかい》に続いて、今度は赤尾が自己紹介を始めた。この松浦の町で生まれ育ったこと。今年の九月で、二十八歳《さい》になること。白石とは小学校からの同級生で、二年前からいっしょに住んでいること。手足がないのは生まれつきで、電動車いすには、もう二十年以上も乗っていること。趣味《しゅみ》は旅行で、特技《とくぎ》は、えーと、えーと──。

「人の名前を完璧に覚えること！」

最前列にすわる元気のいい男子の言葉に、教室がわく。

「何か先生について聞きたいことはあるかな？　なんでもいいぞ」

赤尾が質問《しつもん》を受けつけると、子どもたちは急に困《こま》ったような表情《ひょうじょう》を浮《う》かべはじめた。

（おまえが聞けよ）

（えっ、ムリだよ。おまえが聞けばいいだろ）

たがいの顔を見合わせながら、視線《しせん》だけで会話をかわす子どもたち。担任のカラダについてふしぎに思うことはあっても、それをストレートにぶつけるほどの無邪気《むじゃき》さは、もう高学年ともなると持ちあわせてはいないようだった。

そんな空気を明るく打ちやぶったのは、先ほどから絶妙《ぜつみょう》なタイミングでツッコミを入れ、雰囲気《ふんいき》を盛《も》りあげていた最前列の男の子だった。

「先生、カノジョはいるの？」

「うん、いるよ」

一転、教室は蜂《はち》の巣《す》をつついたような大騒《おおさわ》ぎとなった。

「ええっ、いくつ？　どんな人？」

「どうやって知りあったの？」

「芸能人《げいのうじん》で言うと、だれに似《に》てる？」

ついさっきまで通夜《つや》のような雰囲気でうつむいていた女の子たちまで、うれしそうな顔で芸能レポーターのような質問《しつもん》を浴びせてくる。

「だーっ、それはだな……またの機会に、ゆっくりと」

「えーっ、ズルイ！　なんでも聞いていいって言ったじゃん」

一時間目の終わりを告げるチャイムが鳴った。五年三組は、こうしてスタートした。

席替《せきが》え、係決め、クラス目標――新学期には、決めなければならないことが山ほどある。だが、二時間目が始まっても、車いすに乗った担任《たんにん》は窓《まど》の外をながめるばかりで、いっこうに学級会を始める気配がない。

「きれいだなあ」

赤尾の思いがけない言葉に、子どもたちも急いで窓《まど》の外へと視線《しせん》を移《うつ》した。そこには、青空の下でゆったりと日向《ひなた》ぼっこを楽しむ、桜《さくら》の木が立っていた。

「お花見、しない？」

授業中《じゅぎょうちゅう》に聞こえてくるはずのない「お花見」という言葉に耳をうたがい、子どもたちは窓の外に向けたばかりの視線をあわてて元にもどした。赤尾は、ただいたずらっぽく笑っている。

「じゃあ、お花見したい人？」

数名の男子が「はーい」と勢《いきお》いよく手をあげた。つられて、女子も「おもしろそう」と何人かが手をあげはじめる。その様子に、おとなしそうな子たちも、おそるおそる重たい腕《うで》をななめに持ちあげた。ついには、二十八名全員の手があがった。

「よし。じゃあ、二時間目はお花見をしよう！」

その様子を、白石は教室のすみから苦笑いを浮《う》かべて見つめていた。


「明日の学級会、校庭にしきものを広げてさ、桜の下でやろうと思うんだ」

赤尾からそんな突拍子《とっぴょうし》もない相談を持ちかけられたのは、始業式の日の帰り道だった。

「えっ、校庭で学級会？　そんなの聞いたことがないよ」

「でもさ、桜《さくら》の下で花見をしながら学級会なんて、考えただけでもワクワクしないか」

「まあ、それはそうだけど……」

とまどう白石を相手に、赤尾は一気にまくしたてた。

「優作、覚えてるか？　オレ、四年生のとき学級委員やってただろ」

「四年生のときって、慎ちゃん、毎年のように学級委員だったから、よく覚えてないよ」

「ああ、そうか。そのときな、オレ、担任《たんにん》の岩本《いわもと》に頼《たの》みに行ったんだよ。職員室《しょくいんしつ》まで行って。『明日の学級会、校庭に出て、桜の下でやらせてください』って」

「岩本、何だって？」

「それが、つまんない答えでさ。『よく考えてみろ。フツーに考えてムリだろ』って」

「まあ、岩本らしい答えだな」

「でもさ、それ以来、オレのなかでずっと引っかかってたんだよな。なんでフツーに考えてムリなんだろうって」

「それはさ、こう、いろいろと……んー、何でだろう」

「な。べつに学校の敷地内《しきちない》だし、雨さえ降《ふ》ってなきゃかまわないと思うんだ。そう考えると、世の中、〝フツー〟がじゃましてることって、いっぱいあると思わないか。フツーはしないからダメ。フツーはこうだから、こうしなさい」

白石は、赤尾の言うとおりかもしれないな、と思いながら耳をかたむけていた。

「オレは、他人から見れば重度の障害者《しょうがいしゃ》。だから、『障害者は、フツーこうだ』っていう世間の決めつけに縛《しば》られてたら、何もできなくなる。そう思わないか。だって、フツー、車いすに乗った障害者が小学校で先生やるか？」

「やらない」

白石は、素直《すなお》に笑った。

「だろ。どうせ、スタートラインからフツーじゃないんだ。だから、オレの教師《きょうし》生活、〝フツー〟をものさしにするのはやめようと思って。子どものためになるのか、ならないのか。それを第一に考えていこうと思ってさ」

白石はしばらく考えこんだあと、ゆっくりと口を開いた。

「慎ちゃんの考えはよくわかった。でもね、学校というところは、なによりもその〝フツー〟を重視《じゅうし》する場所なんだ。それは教育委員会というところで働いてみて、よくわかった」

「なんだよ、優作までフツーを順守しろって言うのか」

「ううん、そうじゃない。基本的《きほんてき》には慎ちゃんの考えに賛成《さんせい》だよ。だけど、それを強硬《きょうこう》に押《お》しとおそうとするばかりだと、いつか苦しいときが来る。ほんとうに子どものことを思うなら、根回しをして、うまく事を運ぶ必要があると思うんだ」

「根回しって、あの学年主任《しゅにん》にかよ。あのオバハン、とても花見しながら学級会なんていう話には乗ってこないと思うけどな」

「たしかに、青柳先生には根回ししてもムダっぽいね。だから、学年主任《しゅにん》を飛びこして、もっと上に相談しちゃう」

「校長か！」

「そのとおり。あの人なら、慎ちゃんの考え、理解《りかい》してくれるんじゃないかな」

「わかったよ。明日、朝一番で校長室に行ってみる」


赤尾の指示《しじ》で、子どもたちがてきぱきと動きだした。用務主事室《ようむしゅじしつ》のわきにある倉庫から、大きなブルーシートを運びだすチーム。体育倉庫からホワイトボードを引っぱりだしてくるチーム。黒いマーカーだけでは見づらいだろうと、事務室から赤や青のマーカーを借りてくる気のきく子がいたり、「先生、花見をするなら、やっぱり団子《だんご》でも買ってきましょうか？」などと言いだすお調子者がいたり。準備《じゅんび》ひとつをとっても個性《こせい》がよく表れるものだと、赤尾は楽しくながめていた。十分後にはすべての準備が整い、桜《さくら》の下に敷《し》いたブルーシートに、二十八名の子どもたちが腰《こし》を下ろした。

「よし、じゃあ学級会を始めるぞ。だれか司会をやってくれる人？」

「はい、オレやります！」

一時間目から「先生、カノジョいるの？」などと質問《しつもん》をしてクラスを盛《も》りあげてくれていた沢村陽介《さわむらようすけ》がまっさきに手をあげた。整った顔立ちに、やや栗色《くりいろ》の髪《かみ》。サッカーのスタイルで決めた服装《ふくそう》からは、スポーツも得意だとすぐにわかる。冗談《じょうだん》を言ってはクラスメイトを笑わせる頭の回転のよさと、こうした場面ですぐに手をあげる積極性《せっきょくせい》。五年三組の担任《たんにん》は、この陽介という少年がクラスの中心的存在《そんざい》となっていくだろうことを予感していた。

「じゃあ、わたしも！」

陽介に続いて手をあげたのは、安藤京子。目鼻立ちのはっきりした派手《はで》な顔立ちに、肩《かた》まで伸《の》ばした髪《かみ》。少々気の強いところはありそうだが、どこか華《はな》やかな雰囲気《ふんいき》があり、きっと男子からは人気のあるタイプだろう。

陽介と京子の司会で始まった学級会では、五年三組のクラス目標について話し合った。「助け合うクラス」「協力するクラス」「ケンカをしないクラス」――さまざまなアイデアが出されたが、「四年生のときもそれだった」などと反対意見が出て、なかなか意見はまとまらなかった。

その様子を見守っていた赤尾は、ゆっくりと子どもたちの輪の後方に回り、ひとりの少女に近づいていくと、小声で話しかけた。

「なあ、話し合いに参加しないのか」

中西文乃《なかにしあやの》は、表情《ひょうじょう》を変えずに振《ふ》りむいた。グレーのカーディガンにグレーのスカート。きれいな黒髪は、黒いリボンで束ねられている。手には、小学生ではとても読みそうもない細かい字がびっしりとつまった文庫本が開かれていた。

「興味《きょうみ》、ないんです」

思いもかけない言葉に、赤尾は面食《めんく》らった。その真意を探《さぐ》ろうと、じっと文乃を見つめてみたが、彼女《かのじょ》は涼《すず》しい顔で、もうページに視線《しせん》をもどしている。

「何を考えてるんだ！」

そう声を荒《あら》らげて、クラスの和を大切にするよう文乃に伝えることも、ひとつの方法ではある。だが、桜《さくら》の下での学級会という小学生ならだれもがよろこびそうな場面にも、笑顔《えがお》ひとつ見せることなく、ただ読書にふける彼女の様子がどうにも心に引っかかり、赤尾は言葉を選んだ。

「わかった。じゃあ、ムリに発言しなくてもいい。でも、本は閉《と》じなさい。君だってクラスの一員なんだから」

文乃は返事をすることもなく、本を閉じた。

「ほかに意見はありませんか？」

意見がまとまらず、あせりの見える司会の呼《よ》びかけに、小柄《こがら》な少年が手をあげた。

「ぼくは『みんなが笑顔のクラス』がいいと思います。自分だけが楽しければいいというのではなく、クラスのみんなが楽しく過《す》ごすことを考える。そんなクラスにできたらいいなあと思うんです」

「おお、さすが教授《きょうじゅ》！」

工藤公彦《くどうきみひこ》は、メガネをかけた生真面目《きまじめ》そうな風貌《ふうぼう》と、父親が大学で経済学《けいざいがく》を教えていることから、子どもたちに〝教授《きょうじゅ》〟とあだ名されていた。実際《じっさい》、豊富《ほうふ》な読書量からたくわえた知識《ちしき》と小学五年生とは思えない論理的《ろんりてき》な物言いは、〝教授〟の名に恥《は》じないものだった。

「では、クラス目標は、工藤君の提案《ていあん》した『みんなが笑顔《えがお》のクラス』でいいですか？」

「はーい！」

子どもたちが笑顔で手をあげたその上には、広々とした青空と薄紅色《うすべにいろ》の天井《てんじょう》が広がっていた。


「いったい、あれは何のつもりですか？」

一日目をぶじに終え、職員室《しょくいんしつ》でぐったりしていた赤尾の耳に、あきらかに怒気《どき》をふくんだ声が突《つ》きささる。青柳だった。

「あれ、と言うと……」

「二時間目です。何か桜《さくら》の下でやっていらしたでしょう」

「ああ、花見です。花見というか、桜の下での学級会。クラス目標を決めたんです」

屈託《くったく》なく答える赤尾に、青柳の表情《ひょうじょう》はますます険《けわ》しさを増《ま》していく。

「それは教室ではなく、校庭でやる必要があったんですか。学級会を桜の下でやることに、先生はどんな教育的意義《いぎ》があるとお考えに？」

「教育的、意義《いぎ》ですか。とくにそこまでは……。ただ外を見ていたら桜《さくら》がきれいだったんで、教室でやるより、あの桜の下でやったほうが気持ちいいだろうなあと」

あっけらかんと答える赤尾に、学年主任《しゅにん》はよりいっそう語気を強めた。

「そうやって勝手なことされると困《こま》るんですよ。一組、二組はやってないのに、三組だけが桜の下で学級会なんて。基本的《きほんてき》に、学年というものは足なみをそろえて進んでいかないと具合が悪いんです」

「具合が、悪い？」

「そう、学年でバラバラのことをやっていると、すぐに保護者《ほごしゃ》から『なぜあのクラスではやって、うちのクラスではやらないのですか』などと問い合わせが来てしまうんです。そうした声に対応《たいおう》するのも、学年主任であるわたしの仕事になってくるんですよ」

ここで、赤尾はとっておきの返答を取りだした。

「ああ、すみません。でも、校長先生はＯＫ《オーケー》だとおっしゃっていましたよ」

ふだんは青白い顔をしている学年主任の顔が、みるみる紅潮《こうちょう》していくのがわかる。

「とにかく、あまり勝手なことはなさらないでください。フツーに考えてわかるでしょう。お花見をしながら学級会だなんて」

靴音《くつおと》を響《ひび》かせて職員室《しょくいんしつ》を出ていく青柳のうしろ姿《すがた》を見送ると、赤尾はとなりにいた白石と目くばせをし、にやっと笑った。

「あはは。〝フツー〟はしないってさ」

「うん、〝フツー〟はね」

赤尾は、「ふう」とひとつ大きく息を吐《は》きだすと、机《つくえ》の上のパソコンに向かった。

その晩《ばん》、赤尾は疲《つか》れきった体をベッドにもぐりこませると、携帯電話《けいたいでんわ》を手元に引きよせた。短い腕《うで》の先っぽで、器用にボタンを押《お》していく。パソコンのキーボードと同じように、打ちまちがえることはほとんどない。呼《よ》びだし音が三回鳴ると、電話口の向こうからやさしい声が聞こえてきた。

「あ、慎ちゃん。どうだった?」

「うん、まあ……疲れたよ。長い一日だった」

「そうだよね。お疲れさま」

桜井春菜《さくらいはるな》とは、二年のつきあいになる。当時勤《つと》めていた会社の先輩《せんぱい》から、「知り合いの女の子と飲むから、おまえも来い」と呼《よ》ばれた席でとなりにすわったのが春菜だった。同じ市内の幼稚園《ようちえん》で教員をつとめる春菜のやわらかな雰囲気《ふんいき》にひかれて、帰りぎわにこっそりメールアドレスを聞きだした。おたがいの趣味《しゅみ》である映画《えいが》にかこつけてはデートに誘《さそ》い、まもなく交際《こうさい》が始まった。

「子どもたちの反応《はんのう》はどう?」

「うん、最初は子どもたちも緊張《きんちょう》してたけど、春菜のおかげで打ちとけたよ」

「えっ、わたしのおかげ?」

「『先生、カノジョいますか?』って聞かれたから、『うん、いるよ』って。そうしたら、もう、あいつら大よろこび」

「あはは、なるほどね。それじゃあ、今度ごちそうしてもらわないとなあ」

春菜の声に安心感を覚えたのか、ベッドのなかの体がじんわりと温められていく。

「ふわあ、ダメだ。もう限界《げんかい》」

「明日も早いんだもんね。もう寝《ね》なくっちゃ」

「うん、ありがとう」

「また明日からもがんばってね。赤尾センセイ!」

四時間目終了《しゅうりょう》のチャイムが鳴る。数人の男子が大げさにガッツポーズをしてみせる。

「やっと終わったあ」

「給食だ!」

給食当番は急いで白衣を着ると、教室のすみにある配膳台《はいぜんだい》を広げ、食器の入ったかごやおかずの入った食缶《しょっかん》をならべていく。ほかの子どもたちは、配膳台のわきに列をつくり、おしゃべりをしながら自分の番を待っている。五年三組となってはじめての給食だったが、高学年にもなるとスムーズに全員分の配膳《はいぜん》が終わり、日直のあいさつを待つばかりとなった。

教室には四〜五人編成《へんせい》の班《はん》が六つ——前列に一〜三班、後列に四〜六班がならぶ。黒板の前に置かれた教卓《きょうたく》には、担任《たんにん》の赤尾がすわる。介助員《かいじょいん》の白石は、赤尾と相談した結果、廊《ろう》下側《かがわ》のいちばんまえ、教室前方の扉《とびら》を開けてすぐのところに机《つくえ》を置き、そこから全体を見わたすことに決めた。

「いっただきまーす！」

一年生でも食べられるようマイルドに仕上げられたカレーライスのふんわりした匂《にお》いが鼻をくすぐる。赤尾が利《き》き腕《うで》である右腕とほっぺたの間にスプーンの柄《え》の部分をはさみ、プラスチック製《せい》の丸い皿に差しこもうとしたそのとき、赤尾は教室が異様《いよう》に静まりかえっていることに気がついた。おもむろに顔を上げる。すると、それまでじっと担任を見つめていたのだろういくつもの視線《しせん》が、あわてて散らばっていくのを感じた。赤尾はおかしくて仕方がなかった。

「あはは、みんないいよ。そんなに気をつかうなって。手のない先生が、どうやってご飯を食べるのか。ふしぎに思うのは当然のこと。ほら、じゃあよく見ていて」

赤尾は全員の視線が自分に集まったことを確認《かくにん》すると、ふたたび右腕とほっぺたでスプーンをはさみ直し、カレーライスの下にもぐりこませるようにして皿へと差しこんだ。

「ここまでやったら、スプーンをはなす。そして、皿から飛び出しているスプーンの柄《え》の部分、わかるよね、ここを上から軽く押《お》すと、ほら、シーソーみたいにお皿のなかの反対側の部分が、こうして持ちあがる」

赤尾が解説《かいせつ》を交えながら実演《じつえん》すると、そのとおり、銀色のスプーンの先端《せんたん》——適量《てきりょう》のカレーと白いご飯がのせられた丸くくぼんだ部分が、ふわっと浮《う》きあがってきた。

「わあ、すごい」

身を乗りだすようにして見ていた陽介が、思わず歓声《かんせい》をあげた。

「あとは、そこに顔を近づけて、こう、パクッと食べるだけ」

少しも食べこぼすことのない、あまりにスムーズな芸当に、子どもたちの間から自然と拍《はく》手《しゅ》が起こる。だが、二十年以上もこのスタイルで食事をしてきた赤尾には、その拍手がなんだかむずがゆく感じられた。

「ほら、みんなも早く食べろ。せっかくのカレーが冷めちゃうだろ」


午後五時。窓《まど》から射《さ》しこむ夕日に、二十八台の机《つくえ》がオレンジ色に染《そ》められている。数時間前にはあんなにもにぎやかだった教室に、いまは赤尾と白石の声だけが響《ひび》いている。

「あれはマズかったなあ」

赤尾はたしなめるような口調で、今日あった出来事を振《ふ》りかえった。給食の時間、子どもたちが赤尾の食べる姿《すがた》に拍手を送った直後、白石は赤尾の席までそっと近づいて牛乳《ぎゅうにゅう》キャップを開けると、何事もなかったかのようにまた自分の席へともどっていった。

「え、マズかった？　だって、むかしから――」

爪《つめ》のない赤尾には、どうしたって牛乳《ぎゅうにゅう》びんのキャップは開けられない。小学生のときから、同じ班《はん》で給食を食べるときには、いつも白石が赤尾のキャップを開けていた。

「もちろん、友達としてならそれでOK《オーケー》。というか、感謝《かんしゃ》してるよ。でも、いまは介助員《かいじょいん》という立場だろ」

「ああ、そういうことか」

勘《かん》のいい白石は、赤尾が何を言いたいのかをすぐに察した。

「子どもたちが手伝えないようなことは、ガンガン頼《たの》む。でも、牛乳キャップを開けるなんて小学五年生だってできるだろ。せっかく担任《たんにん》に手足がないんだ。なるべく子どもたちに手伝わせようぜ。そういう積み重ねが、だれかが困《こま》ってたら助けてやる、そんな心情《しんじょう》を育てていくと思うんだ」

軽く目を閉《と》じながら話を聞いていた白石は、「ふう」とあきらめたように息を吐《は》きだした。

「慎ちゃん、変わってないな」

「何が？」

「始業式の翌日《よくじつ》、学年主任に言われただろ。子どもたちに『手伝ってほしい』なんて、何事だって。なのに、慎ちゃん、クラスの子どもたちにも、『昨日の始業式でも言ったけど、先生にはできないことがいっぱいある。そんなときは、みんな手伝ってくれ』って」

「そんなかんたんに自分の考えは変えられないだろ」

「まあ、そうなんだけどさ。そうなんだけど……なかなかできないよ。面と向かって、『わたし、認《みと》めてませんから』とまで言われた直後に」

赤尾は、「ワタシ、認めてませんから」と、やけに嫌味《いやみ》っぽい青柳の口調をまねてみた。思いのほか似《に》ていて、つい白石も吹《ふ》きだしてしまった。

「だからさ、慎ちゃん、変わってないなと思って。自分がこうだと思ったことは、ぜったいに曲げない。むかしからね」

「それがまちがってたりもするんだけどな」

「あはは、たしかに。だから、そばで見てると危《あぶ》なっかしくて仕方ない」

「大きなお世話だ！」

白石は真顔にもどると、赤尾に約束した。

「なるべく、手を出さない。子どもに手伝わせるようにする。まあ、二十年染《し》みついてきたものがあるから、思わず手が出ちゃうときもあるかもしれないけど……そんなときは、また言ってよ」

「うん、ありがとう。介助員《かいじょいん》、やっぱり優作じゃなきゃ、つとまらなかったよ」

第二章　上ばきがない！

「先生、たいへんだ。たいへんだよ！」

朝の始業前のあわただしい時間帯。職員室《しょくいんしつ》の扉《とびら》をがらりと開け、息せき切って飛びこんできたのは、お花見学級会でも「先生、団子《だんご》買ってきましょうか？」などとおどけていた、荒木慎吾《あらきしんご》という少年だった。お笑いタレントの明石家《あかしや》さんまを思わせる特徴的《とくちょうてき》な前歯。とぼけた言動がいつも笑いを呼《よ》ぶ、クラスのムードメーカー的存在《そんざい》だった。

「コラ、職員室に入ってくるときはあいさつだろ」

「あ、失礼します……。でも、先生。たいへんなんだよう」

「どうした。また宿題でも忘《わす》れたか」

「そんなんじゃないよ。あのね、ぶーちゃんの上ばきが見つからないの！」

ぶーちゃんとは、クラス一の巨漢《きょかん》・山部幸二《やまべこうじ》のことだ。もともとは名字の読み方から『やまぶー』という愛称《あいしょう》だったが、それがいつしか『ぶーちゃん』となった。そのふくよかな体型をからかっているようにも聞こえるため、はじめは子どもたちが『ぶーちゃん』と呼《よ》ぶことに抵抗《ていこう》を感じていたが、当の本人がうれしそうに返事をしているので、赤尾《あかお》はあえてそのままにしておくことにした。

「あー、先生。おはようございます」

慎吾がせわしない口調で報告《ほうこく》を終えた頃《ころ》、当事者である幸二がようやく職員室《しょくいんしつ》の扉《とびら》からのそりと姿《すがた》を現《あらわ》した。赤尾がはじめてこの少年を見たときに違和感《いわかん》を覚えたのは、友達と同じサイズのランドセルを使っているはずなのに、幸二が背負《せお》うとやけに小さく見えることだった。紺色《こんいろ》のトレーナーの胸《むね》部分に描《か》かれたローマ字のロゴは、思いきり横に引きのばされて読みづらくなっている。

上ばきをなくした本人が、報告に来た慎吾より遅《おく》れて来るというのもへんな話だが、きっと、「オレが先生に言ってくるよ!」と駆《か》けだした慎吾に置いてきぼりをくったのだろう。

「おー、幸二、おはよう。聞いたぞ。上ばき、見当たらないのか?」

「うーん、朝、学校に来て、はき替《か》えようと思ったら、ないんだよねえ」

拍子《ひょうし》抜《ぬ》けするほど、のんびりした口調。それも、いつもと変わらぬにこにこ顔。自分の上ばきが見当たらないというのに、まるで他人事《ひとごと》のようだ。だが、こうした大らかさが、クラスのだれからも「ぶーちゃん、ぶーちゃん」と愛されるこの少年の魅力《みりょく》かもしれなかった。

「そうかあ、困《こま》ったたな。わかった、先生もいまからすぐ教室に行くから。ふたりとも先に行って待っててくれ。あ、幸二は靴下《くつした》のままじゃ危《あぶ》ないから、外ばきをはいていけよ。ちゃんと昇降口《しょうこうぐち》のマットで靴の泥《どろ》をよく落としてから行くこと。いいな」

赤尾の指示《しじ》に、ふたりの少年はぺこりとお辞儀《じぎ》をして職員室《しょくいんしつ》を出ていった。

(なんか、オレ、教師《きょうし》っぽいな)

つい先月までは、プログラマーとして精密機械《せいみつきかい》を相手にしていた。それが、いまはこうして十歳《さい》の子どもたちに「教師らしいこと」を言っている。そのことが、赤尾にはなんだか気《き》恥《は》ずかしく感じられた。


新学期がスタートしてから二週間。五年三組に、はじめての事件《じけん》が起こった。

朝の会で子どもたちから事情《じじょう》を聴《き》いたが、とくに手がかりとなるような情報《じょうほう》は得られなかった。念のため、自分の上ばきと幸二の上ばきをまちがえてはいてしまっている子がいないか各自の足元を確認《かくにん》させたが、「えへへ」と照れくさそうに名乗りでてくる子もいない。

「先生、山部君の上ばきは、みんなよりもだいぶサイズが大きいから、ぼくたちもまちがえることはないと思います!」

〝教授《きょうじゅ》〟の冷静な指摘《してき》は、おそらくそのとおりだった。

「そのうち見つかるんじゃん?」

最前列で、お花見学級会の司会をつとめた陽介《ようすけ》がつぶやいた。年端《としは》のいかない子どもたちだが、この学校では彼《かれ》らが先輩《せんぱい》に当たる。その先輩の言葉に、「案外、そんなものかもしれないな」と思った赤尾は、いつもどおり授業《じゅぎょう》を始めた。中休み、ドッジボールで「当たった」「当たってない」の言いあいから始まった男子どうしのケンカの仲裁《ちゅうさい》をしていたこともあり、三時間目が始まる頃《ころ》には、上ばきのことなどすっかり頭から消えてしまっていた。

四時間目が終わり、給食の時間。この日のメニューはスパゲッティミートソース。子どもたちに人気があるメニューだと、おかわり争奪戦《そうだつせん》はいつにもましてはげしいものとなる。赤尾のクラスでは、「ごちそうさま」の十分前にすべて食べ終わっている子だけが〝おかわりジャンケン〟に参戦できるというルールがあった。

「スパゲッティ、おかわりしたい人?」

もう五分ほど前からこの時間をいまかいまかと待ちわびていた慎吾が、一時ちょうどになったのを見計らって、配膳台《はいぜんだい》のほうへ小躍《こおど》りしながら進みでる。慎吾の動きをきっかけに男子を中心とした五〜六人の子どもが集まって、小さな輪をつくった。

「おや?」

赤尾は、いつもとちがう光景に首をかしげた。これまで〝おかわりジャンケン〟に皆勤賞《かいきんしょう》で参加していたはずの大柄《おおがら》な少年の姿《すがた》が、今日ばかりは見当たらないのだ。

「お、幸二どうした? 今日はおかわりしないのか?」

見ると、皿の上にはミートソースがほどよくからんだ麺《めん》が、まだ半分ほど残っている。

「あっ……」

気づいたときには、もう手遅《ておく》れだった。

「先生、ぶーちゃん、朝から上ばきがないんだよ。おかわりどころじゃないでしょ」

陽介が口をとがらせて放ったその言葉は、おそらく、口にした本人が考えていた以上にするどく赤尾の心に突《つ》きささった。まだ赤尾の皿の上にも四分の一ほど残っていた黄色い麺《めん》は、それ以上減《へ》ることなく、ただしょんぼりと食缶《しょっかん》にもどされた。


「つまり、山部幸二は昨日の帰りに昇降口《しょうこうぐち》で下ばきにはき替《か》え、校門を出た。ところが、朝になって学校に来てみると、下駄箱《げたばこ》に入れておいたはずの上ばきが見当たらないと、こういうことだな」

二組を担任《たんにん》する紺野《こんの》は、腕組《うでぐ》みをしながら、じっと考えこむように言った。

「昨日の帰りは沢村《さわむら》や荒木たちもいっしょだったらしくて、ちゃんと山部が上ばきを下駄箱に入れて下校しているのを見てるんですよねえ」

今朝、子どもたちから聞いた話を思いかえしながら、車いすの上の赤尾は首をかしげた。

職員室《しょくいんしつ》の向かいにある教育相談室。八畳《じょう》ほどの手ぜまな部屋の中央には、長さ二メートルほどの事務机《じむづくえ》が二つ置かれ、それを取りかこむように青いシート張《ば》りのパイプ椅子《いす》が六つならんでいる。ガラス扉《とびら》のついた鉄製《てっせい》ロッカーには、過去《かこ》数年分の職員会議録《しょくいんかいぎろく》や学校行事に関する資料《しりょう》がぎっしりとつまっていた。「教育相談室」という名こそついていたが、個人《こじん》面談《めんだん》などで使用されることはめずらしく、学年ごとの打ち合わせなど、教員がちょっとした話し合いの場として利用することがほとんどだった。

カッシャーン、カッシャーン。となりの印刷室からは、大量のプリントが排出《はいしゅつ》される音がかすかに聞こえてくる。今回のような問題が起こったとき、本来ならばまっさきに学年主《しゅ》任《にん》に相談すべきだということは、赤尾にもわかっていた。だが、つねに嫌味《いやみ》っぽく、自分の考えを押《お》しつけてくることの多い青柳《あおやぎ》には、どうしても相談する気になれなかった。その点、赴任《ふにん》当初から飲みに誘《さそ》ってくれるなど何かと気にかけてくれた紺野は、教育現場《げんば》という右も左もわからない世界に飛びこんだ赤尾にとって、兄貴分《あにきぶん》のような存在《そんざい》だった。

「ということは……上ばきがなくなったのは、子どもたちが下校してから今日登校してくるまでの間。つまり、昨日の放課後か、今日の朝早くということになるな」

「なんか、探偵《たんてい》みたいですね」

「まあ、探偵業だったら、ホシが自分の教え子であるという、しんどい結末は待ってないだろうけどな」

紺野の言葉に、赤尾は胸《むね》が締《し》めつけられるような苦しさを覚えた。

「やっぱり、クラスの子なんですかね」

「十中八九がそうだよ。新任のおまえからしたら認《みと》めたくないことだろうけどな。でも、気にするなって。これはどんなクラスにだって起こりうることだし、新学期のこの時期にはよくあることなんだ。子どもたちが担任《たんにん》を試《ため》してると言ったらいいのかな」

「担任を、試す？」

「ああ。この先生はどこまでやったら怒《おこ》るのか。こうしたトラブルをどう解決《かいけつ》していくのか。お手なみ拝見《はいけん》ってわけじゃないが、子どもたちも無意識《むいしき》のうちに試してるんだよ」

二十八人のかわいい顔を思いうかべると、とても子どもたちが自分を試しているようには思えなかった。

「で、おまえはどんな対応《たいおう》を取ったんだ？」

赤尾は、紺野からの質問《しつもん》にどう答えていいものか、困《こま》ってしまった。

「あ、いや、その、ええと……とくに何も」

「えっ、何も？」

思わず、紺野の声のトーンが上がる。

「お恥《は》ずかしい話、朝の会で子どもたちに話をしてから、ぼく自身、すっかり上ばきのことを忘《わす》れていて……。給食のとき、めずらしくおかわりをしない幸二の様子に、『あっ！』と思いだしたという次第《しだい》なんです」

それまで饒舌《じょうぜつ》だった紺野が、赤尾の返答を聞いたとたんに黙《だま》ってしまった。その様子に、自分の対応がいかに至《いた》らないものだったのかを思い知る。

「やっぱり、マズかった……ですかね?」

おそるおそる切りだした赤尾の問いに、紺野は大きく息を吐《は》きだしてから説教をくれた。

「こういうのはな、初期対応《たいおう》が肝心《かんじん》なんだ。その日のうちに解決《かいけつ》できれば、傷《きず》は小さくてすむ。ところが、解決しないままだらだらと時間が経過《けいか》してしまうと、その傷はどんどん大きなものになっていくし、学級崩壊《がっきゅうほうかい》にだってつながりかねない。いいか、おどしてるわけじゃないぞ。ほんとうにそういうものなんだ」

これまでは別世界のことだと思っていた「学級崩壊」の四文字。それが、自分が受けもつクラスと、意外にも一本の道でつながっていることが確認《かくにん》できてしまった。そして、その道につながる扉《とびら》を開けたのは、ほかならぬ自分の未熟《みじゅく》さだった。

「それに」と、紺野は続けた。

「朝から上ばきがなかった山部は、今日一日、担任《たんにん》であるおまえに対してどんな気持ちでいただろう?」

「ぼくだったら、『何とかしてほしい。解決してほしい……』と」

「そうだよな。ところが、担任は何も解決してくれないどころか、そのこと自体を忘《わす》れてしまっていたとしたら――」

幸二だけでなく、クラスの子どもたちからの信頼《しんらい》を、今日一日だけで失ってしまったかもしれなかった。

赤尾のなかで無邪気《むじゃき》な笑顔《えがお》を浮《う》かべていた二十八人の子どもたち。だが、もう一度、彼《かれ》らのことを思いうかべてみると、今度は笑顔を見せる者などひとりとしていなかった。ただ、二十八人全員がそろいの面をかぶったような灰色《はいいろ》の顔で、こちらを見つめている。

「紺野先生、ぼくは……まず何をしたらいいんでしょう」

赤尾は、しぼりだすような声で先輩《せんぱい》教師《きょうし》に助けを求めた。

「最初に言っておかなければならないのは、答えはひとつじゃない、ということ。十人の教師がいれば、十通りのアプローチの仕方があると思ったほうがいい」

「ああ、なるほど」

「たとえば、青柳先生だったら、どうすると思う？」

「え、青柳先生ですか……。うーん、どうするんだろう」

「去年だったかな、青柳先生のクラスで筆箱がなくなる事件《じけん》があってな。そのときは、その場で全員のランドセルを開けさせて、さかさまにさせて……。それでも見つからなくて、今度はロッカーまでチェックさせた。それも、自分でやらせると『ありませんでした』となるから、出席番号をひとつずらして他人にチェックさせる。一番の子が二番を、二番の子が三番を、といった具合にね」

「すごい徹底《てってい》ぶりですね。でも、なんかそれ、やりすぎじゃないですか？」

以前に青柳から桜《さくら》の下での学級会について教育的意義《いぎ》を問われたことがあったが、彼女《かのじょ》の手法こそ教育的に問題はないのだろうか。

「うん、たしかにやりすぎだと感じる人も多いだろうな。でも、筆箱がなくなって、いちばん困《こま》っているのはだれだ?」

「その持ち主、ですよね」

「だろ。だったら、一刻《いっこく》も早く筆箱を見つけだし、持ち主のもとに返してやる。そのことを考えれば、青柳先生の方法がまちがっているとは、けっして言いきれなくなってくる」

紺野が言うように、ひとつの方法ではあるのかもしれない。しかし、この手法を教室でまねてみようという気には、とてもなれなかった。

「じゃあ、紺野先生はどんなふうに?」

「オレか? オレはなあ、いかにその持ち主が困っているか、悲しい気持ちでいるかということを、子どもたちの前で少々大げさに話すんだ。そのあとで、『じゃあ、みんなで探《さが》してあげよう』とやると、たいていは見つかるんだ」

「え、ホントに!?」

「物を隠《かく》したといっても、まだまだ小学生。良心に訴《うった》えかければ、きちんと響《ひび》くんだよ」

子どもをうたがうことで犯人《はんにん》を見つけだす青柳。子どもを信じることで解決《かいけつ》を図《はか》る紺野。

なるほど、教師《きょうし》によって個性《こせい》が出るものだと、赤尾は妙《みょう》に感心していた。紺野が続ける。

「それにな、おもしろいことがあるんだ」

「何です?」

紺野はふたりしかいないはずの部屋で、なぜか声をひそめた。

「たいてい、『ありました』と見つけてきた子が、隠《かく》した張本人《ちょうほんにん》であることが多いんだよ」

「えっ!?」

思わずボリュームが上がった赤尾の声を、紺野が目で制《せい》した。

「まあ、自分で隠したんだから、どこにあるかはだれよりもわかってるもんな」

「ええ、まあ……」

赤尾が出やすいよう先に扉《とびら》を開けてやると、紺野は廊下側《ろうかがわ》にかかる「在室《ざいしつ》」と書かれたプラスチック製《せい》の札をひっくり返し、「空室」にかけ直した。

「紺野先生、ありがとうございました」

そう言って、軽く頭を下げた赤尾の顔からは、すっかり生気が失われていた。青柳にしても、紺野にしても、ほかの教師《きょうし》は自分なりのやり方でなくなったものを見つけだし、子どもたちの笑顔《えがお》を取りもどしている。だが、自分は解決《かいけつ》への糸口を何も見出《みいだ》せないまま、ただ立ちつくすばかり。さらには、「子どもたちに試《ため》されている」と考えただけで鼓動《こどう》が速くなり、体のなかから空気が抜《ぬ》けていくような感覚にさえとらわれている。

「ごめんな、幸二……」

今朝、職員室《しょくいんしつ》で幸二が見せていた笑顔だって、「いつもどおり」のものなんかじゃない。

〝困《こま》り笑《わら》い〟という彼《かれ》なりのサインだったことに、どうして気づいてやれなかったのか。新学期スタート以来、自分にかけられた『五年三組担任《たんにん》』という看板《かんばん》が、こんなにも重く感じられたのははじめてのことだった。

翌朝《よくあさ》、赤尾が白石《しらいし》とともに子どもたちのもとへ向かうと、教室の中がやけにさわがしい。五年三組はけっしておとなしいクラスとは言えなかったが、廊下《ろうか》までさわぎ声が聞こえてくるようなことはこれまでなかったはずだ。

白石が扉《とびら》を開けると、昨日と同じように慎吾が「先生、たいへんなんだよ」と駆《か》けだしてくる。そのうしろからゆっくりと黒板の前まで歩みでてきたのは、千葉聡子《ちばさとこ》だった。肩《かた》をすぼめて立ちつくす小柄《こがら》な少女の足元に視線《しせん》を落とすと、そこには白地に赤いラインが入った上ばきではなく、コンバースのスニーカーがあった。聡子が、いつも外ばきとしてはいているものだ。

「上ばき……どうしたんだ?」

聡子はうっすらと涙《なみだ》を浮《う》かべながら、くちびるをかみしめている。

「朝、学校に来たら、下駄箱《げたばこ》になかったんだって」

代わりに答えたのは、陽介だった。

「よしわかった。みんな、とりあえず席についてくれ。話がある」

車いすを教卓《きょうたく》の前まで進めながら、赤尾は頭のなかで紺野から聞いた話を猛《もう》スピードで再生《さいせい》していた。ここで自分がすべきことは何か。子どもたちにすべき話は何か——。

（やはり、自分は紺野路線でいこう）

青柳のような徹底《てってい》した管理主義《かんりしゅぎ》をとれば、いますぐ、幸二にも、聡子にも、笑顔《えがお》を取りもどすことができるのかもしれない。だが、目の前の子どもたちにランドセルをさかさまにさせる勇気は、いまの赤尾にはなかった。

子どもたちのほうへと向きなおると、赤尾は感情《かんじょう》をこめて語りかけた。上ばきがなくなり、ふたりはとても悲しい思いをしていること。楽しいはずの学校生活が、不安に満ちたものになってしまっていること。なくなった上ばきは、ふたりの家族が一生懸命《いっしょうけんめい》に働いたお金で買ってくれたものであること。

「なによりさ、桜《さくら》の下で決めたんだろう。クラスの目標」

赤尾の言葉に、子どもたちがいっせいに顔を上げる。黒板の上には、彼《かれ》らが色とりどりのポスターカラーで模造紙《もぞうし》いっぱいに書きこんだクラス目標が掲《かか》げられている。

〈みんなが笑顔のクラス〉

赤尾は、続けた。

「いま、五年三組には笑顔じゃない子がふたりもいるんだよ。みんなで助けてあげなきゃ。笑顔にしてあげなきゃ。よし、いまからみんなで探《さが》しにいこう」

だが、六時間目が終わっても、ふたりの上ばきが出てくることはなかった。

(良心に訴《うった》えかければ、きちんと響《ひび》くんだよ)

紺野の言葉を思いかえすたび、新米教師《きょうし》の胸《むね》に、するどい痛《いた》みが訪《おとず》れた。


「そうかあ、それはちょっと根が深いかもしれない」

赤尾から報告《ほうこく》を受けた紺野は、キャスターのついた灰色《はいいろ》の椅子《いす》にもたれかかりながら、長い脚《あし》を組みかえた。腕組《うでぐ》みをしながら、しばらくじっと黙《だま》っている。

「こうなったら、トクさんに相談してみたほうがいいかもしれないなあ」

茶野徳治《ちゃのとくじ》は、六年生の学年主任《しゅにん》をつとめるベテラン教師。すでに五十代なかばを迎《むか》えていたが、いつまでも教室で子どもたちと過《す》ごしていたいとの思いから管理職《かんりしょく》試験を受けず、いまも六年一組の担任《たんにん》として現場《げんば》に立ちつづけている。豊富《ほうふ》な経験《けいけん》とあたたかみのある人柄《ひとがら》から〝トクさん〟と慕《した》われ、若手《わかて》教師たちはクラスでトラブルが起こると、学年を超《こ》えて茶野に相談することもあるほどだった。

赤尾は、紺野の視線《しせん》の先を追うように六年生のシマに目をやった。そこには、メガネを上げたり下げたりしながら、キーボードを指先でつつくようにパソコンに向かう茶野がいた。

(子ども相手は得意でも、機械は苦手なんだな)

パソコンを前にまごつく茶野の姿《すがた》は、校長や副校長からも信頼《しんらい》を得る職員室の重鎮《じゅうちん》にはとても見えない。それが、赤尾にはどこかほほえましく感じられた。

その晩《ばん》、赤尾は白石とともに駅前にある「焼鳥きたむら」で大量の煙《けむり》にいぶされていた。商店街のいちばんにぎやかな通りから一本裏《うら》に入った場所にあるこぢんまりとした店内は、金曜日ということも手伝ってか、かなりのにぎわいを見せている。古くから茶野の行きつけのようで、何も注文せずとも、ねぎま、かわ、つくねの三本がならべられた四角い皿と生ビールがすぐに出てきた。

エンジ色のベストから伸《の》びるワイシャツの袖《そで》をまくり、毛深い腕《うで》をのぞかせた茶野は、ごくりとのどを鳴らしてジョッキの中身を三分の一ほど胃袋《いぶくろ》に流しこむと、少しだけこげ目のついたつくねに手を伸ばした。店内に流れる昭和の歌謡曲《かようきょく》をときおり口ずさみながら、さらに二本目、三本目とほおばっていく。担当《たんとう》学年がちがう茶野とは、これまでほとんど話をしたことがない。赤尾は、話を切りだすタイミングをじっとうかがっていた。

「悪い。今日は合コンだから、オレはダメなんだ！」

そう言ってさっさと先に帰ってしまった先輩《せんぱい》教師《きょうし》がうらめしい。

「それで、ふたりには共通点みたいなものはあるんですか？」

一杯目《ぱいめ》のジョッキを空にし、なじみの店員に二杯目のビールを注文した茶野は、前ぶれもなく本題に迫《せま》った。不意をつかれた赤尾は、あわてて今回の被害者《ひがいしゃ》である、ぶーちゃんと呼《よ》ばれる少年の顔と、小柄《こがら》な少女の顔を交互《こうご》に思いうかべた。

「うーん、これといってないんですよねえ……。しいて言えば、特徴《とくちょう》がないことが特徴というか、ふたりとも自分を主張《しゅちょう》することがない性格《せいかく》なので、だれからも嫌《きら》われるようなことがないタイプの子たちなんですよ」

「そうかあ。じゃあ、その子憎《にく》しで、ということは考えにくいわけですね」

「そうですねえ」

赤尾の皿にあったねぎまの串《くし》を、白石がひょいと持ちあげて相棒《あいぼう》の顔の前に差しだすと、車いすの上の赤尾は器用にかぶりついて顔を横にずらし、脂《あぶら》の乗った鶏肉《とりにく》を串から外していく。茶野は、早くも二杯目《はいめ》のジョッキに口をつけていた。

「だから、犯人《はんにん》の目的がわからないんですよ」

赤尾が何気なくつぶやいた言葉に、茶野は敏感《びんかん》に反応《はんのう》した。無造作《むぞうさ》にビールのジョッキをテーブルに置くと、しばらく考えこんでいた。

「赤尾先生、〝犯人〟という言い方はないんじゃないのかな」

「え？」

くぐもった声が、ベテラン教師《きょうし》の感情《かんじょう》の変化を伝える。

「たしかに、上ばきを隠《かく》すなんて、けっしてほめられたことじゃない。でも、子どもたちだって、好きでそんなことをしているわけじゃあないと思いませんか？」

「好きで、やっているわけじゃない？」

「そう。その子も、きっと自分では解決《かいけつ》できない心の問題を抱《かか》えているんです。それが、上ばき隠《かく》しという事象となって表れている。言ってみれば、子どもからのSOS《エスオーエス》のサインなんです。その子だって、つらいはずなんですよ。それを〝犯人《はんにん》〟と言われたんじゃ……」

店を出て茶野と別れたふたりは、近くの居酒屋《いざかや》に入りなおした。親友がほとんど飲めないことを知ったうえで赤尾が白石を酒に誘《さそ》うのは、めったにないことだった。

「ごめん。ごめんな、みんなあ」

ただ同じ言葉をくりかえし、車いすの運転もおぼつかなくなるほど酒を浴びる赤尾の姿《すがた》に、白石は「今晩《こんばん》ばかりは仕方ないなあ」とあきらめたように烏龍茶《ウーロンちゃ》を飲みつづけた。

つい二週間前までは桜色《さくらいろ》のトンネルに彩《いろど》られていた松浦川《まつうらがわ》も、いまはすっかり薄緑色《うすみどりいろ》に衣替《ころもが》えをすませ、眠気《ねむけ》を誘うような春の曇天《どんてん》に見守られながら、ゆったりと川面《かわも》を揺《ゆ》らしている。週の始まりである月曜日だというのに、朝日に照らされた赤尾の顔には、疲労《ひろう》の色がくっきりと刻《きざ》まれていた。

「慎《しん》ちゃん、それで答えは出たの？」

「いや、まだ……」

この二日間、赤尾はずっと茶野から出された〝宿題〟の答えを探《さが》しつづけていた。

「茶野先生、ぼくはどうしたらいいんでしょう。青柳先生は『徹底的《てっていてき》に調べる』ことで解決を図《はか》った。紺野先生は『子どもたちの良心に訴《うった》える』ことで、真実にたどりついた。ぼくはいったいどうしたらいいのか。一度は紺野先生の方法をまねてみたんです。だけど、上ばきは出てこなかった。かといって、青柳先生のようなやり方、ぼくにはできません。もう、どうしたらいいのか……」

「好きに、したらいいですよ」

「えっ?」

「冷たく聞こえるかもしれないけれど、これ以上は赤尾先生がご自身で答えを出すしかない。わたしのクラスではなく、赤尾先生のクラスなんですから。子どもたちは、よく見ていますよ。こういう問題に、担任《たんにん》がどう向きあい、どう解決《かいけつ》していくのか。だからね、これは上ばき事件《じけん》を解決すればすむという問題じゃない。今後一年間の学級経営《がっきゅうけいえい》に大きく関《かか》わってくることなんです」

「ああ、紺野先生にも言われました。子どもたちに試《ため》されてるんだって」

「試されていると言うと言葉は悪いけれど……逆《ぎゃく》にチャンスだと考えてみたらどうでしょう。自分はこういうクラスにしていきたい、君たちとこんなふうに向きあっていきたいということを伝える、絶好《ぜっこう》のチャンスだと」

「チャンス、ですか……」

「そう。だから、苦しいかもしれないけれど、じっくり考えてみてください。自分で答えを出したほうがいい。赤尾先生が自分で出した答えで、子どもたちと勝負するんです」

その答えが見つからぬまま過《す》ごす週末は、とても心休まるものではなかった。目を閉《と》じれば、いつも同じ映像《えいぞう》が流れだす。二十八人の子どもたちが、教室でじっと担任《たんにん》を見つめている。だが、視線《しせん》の先にいる担任教師《きょうし》は、おでこに脂汗《あぶらあせ》をいっぱいに浮《う》かべ、愛想笑《あいそわら》いを見せるばかり。ただ困《こま》ったような表情《ひょうじょう》で、子どもたちの視線にさらされている。そんなシーンが、この二日間に何度となく頭のなかで再生《さいせい》された。

黒崎橋《くろさきばし》のところで左に曲がると、車いすのタイヤが急にその重みを増《ま》したように感じられた。学校の数百メートル手前にある邸宅《ていたく》の庭からは、すっかり顔なじみになった柴犬《しばいぬ》の鳴き声が聞こえてくる。車いすのモーター音に反応《はんのう》し、赤尾が通るたびに吠《ほ》えてくる友人の声も、今日ばかりは「おはよう」という親愛のあいさつには聞こえなかった。

鉛色《なまりいろ》の校門は、すぐそこだった。


教室の扉《とびら》を開けると、それまで聞こえていたおしゃべりの声が、ぴたりとやんだ。先週と同じように「先生、たいへんだ！」と慎吾が駆《か》けだしてくることもない。ひとまず、幸二、聡子に続く三人目の被害者《ひがいしゃ》が出るという事態《じたい》は避《さ》けられたようだった。

黒板まで車いすを進ませると、赤尾はすばやく幸二と聡子の足元に目を落とした。ふたりは、赤尾がそれぞれの家庭に連絡《れんらく》したとおり、上ばき代わりとなるべつの靴《くつ》をはいている。

ゆっくりと教室を見回すと、二十八人の子どもたちが、じっと自分を見つめている。それは、この週末、何度となく赤尾の頭のなかで流れていたシーンだった。

「先生、みんなにあやまらなくちゃいけないことがある」

思いがけない言葉に、子どもたちはたがいに顔を見合わせた。教室のすみにある自分の席で聞いていた白石は、「そう来たか」と心の内で手を叩《たた》き、つぎの言葉を待った。

「五年三組の目標は、『みんなが笑顔《えがお》のクラス』だったよね。でも、いまクラスには上ばきが見つからずに笑顔じゃなくなってしまった人がふたりもいる。だから、みんなで何とかしようと、金曜日には一日かけて探《さが》しまわってくれた。中休みも、昼休みも、ずっと探してくれたけど、それでもふたりの上ばきは見つからなかった」

男女それぞれに分かれてトイレを点検《てんけん》したり、ゴミ捨《す》て場《ば》や体育倉庫の裏《うら》を見てまわったり。だが、どこからも「先生、あった！」という声が聞かれることはなかった。

「みんなは幸二と聡子のために、できるかぎりのことをしてくれた。だけど、先生は……何もしてあげることができていない。担任《たんにん》として、上ばきを見つけだし、ふたりに笑顔を取りもどしてあげることが先生の仕事なのに、それができていない。ごめんな、幸二。ごめんな、聡子……」

そう言うと、車いすの座席《ざせき》から転げおちてしまうのではないかというほど深く上半身を折りまげ、子どもたちに頭を下げた。担任から思いがけない言葉をかけられ、巨漢《きょかん》の少年は照れくさそうに頭をかき、小柄《こがら》な少女はじっと下を向いた。

赤尾は、続けた。

「いまのが、ひとつ。でも、先生にはもうひとつ、みんなにあやまらなくちゃいけないことがあるんだ」

ふだんなら机《つくえ》の上で鉛筆《えんぴつ》や消しゴムをいじったり、洋服のジッパーを上げたり下げたり。手いたずらをしながら赤尾の話を聞くことが多い子どもたちだが、この日はだれもが話に集中できていた。

「幸二や聡子の上ばき。あたりまえだけど、急に足が生えて、ひとりでにどこかへ行ってしまったわけじゃない。だれかが何らかの理由で、どこかに持っていってしまったと思うんだ。だけど、先生にはその『何らかの理由』がわからない。でもね――」

赤尾はあえて言葉を切って、右から左へ、ゆっくりと教室を見わたした。

「ほんとうはその子だって、その理由を知ってほしいんじゃないかな。なんでこんなことをしてるのか。いま、何に苦しんでいるのか」

赤尾が口をつぐむと、教室からはすべての音が消えうせた。となりの五年二組からは、紺野が弾《ひ》くギターに合わせて、子どもたちが楽しそうに歌う声がかすかに聞こえてくる。

いままでより、少し声のトーンを上げ、赤尾は子どもたちと向きあった。

「だから、先生はあやまりたいんだ。上ばきが見つからずに悲しい思いをしている幸二と聡子だけじゃない。先生は、上ばきを持っていってしまったその子の苦しさにも気づいてあげられていないし、きっと苦しんでいるだろうその子を……救ってやれてない。それが悔《くや》しくって……情《なさ》けなくって。ごめんな、みんな。ごめんな」

目にうっすらと涙《なみだ》を浮《う》かべ、ふたたび車いすの上で体を折りまげた赤尾の頭のてっぺんを、二十八人の子どもたちは、ただじっと無言で見つめていた。

「まさか、そう来るとは思わなかったよ」

職員室《しょくいんしつ》にもどると、白石はきつく赤尾の肩《かた》を抱《だ》いた。

「え、ああ……」

熱弁《ねっべん》をふるった本人は、しかし、浮かない表情《ひょうじょう》で生返事をした。

「まだ答えは出ていないと言ってたのに、なかなかどうして。いい〝答え〟を見つけたじゃない」

白石の言葉をよそに、赤尾は力なく車いすの座席《ざせき》にへたりこんだ。

「じつは用意していたわけじゃないんだ。教室に入って、あの場に立つまで、オレの頭にはほんとうに何のアイデアもなかった。でも、あそこに立って、あの子たちの顔を見ていたら、自然と言葉が浮かんできた。いや、浮かんできたというよりも口をついて出てきたと言ったほうがいいのかな」

「それが、『ごめん』という言葉だった」

「うん。結局、この二日間、どんなふうに解決《かいけつ》を図《はか》ったらいいんだろうと考えてきたけど、考えれば考えるほど、頭に浮《う》かぶのは、『あの子たちに申《もう》し訳《わけ》ない』という思いだった。担《たん》任《にん》がオレじゃなかったら、もっとスムーズに事件《じけん》が解決して、子どもたちにも苦しい思いをさせずにすんだんじゃないかって。そんなことばかり考えてたから、きっと『ごめん』なんていう言葉が出てきたんだろうなあ」

その口ぶりから、子どもたちの前で見せた行動が正しかったのか、赤尾のなかではいまでも結論《けつろん》が出ていないことがわかった。それでも、白石はその場に立ち会った者として、感じたままを伝えることにした。

「よかったと思うよ。子どもたちの心には、慎ちゃんの気持ち、きっと届《とど》いたと思う」

「うん、ありがとう……」

翌朝《よくあさ》、職員室《しょくいんしつ》に駆《か》けこんできた慎吾の知らせに、幸二と聡子の上ばきが下駄箱《げたばこ》へともどされたことを知った。さっそく、今回の件で力を借りたふたりの先輩教師《せんぱいきょうし》に報告《ほうこく》すると、紺野は「よかったなあ」と手放しでよろこんでくれたが、百戦錬磨《ひゃくせんれんま》の茶野は、「そうですか……。うん、ひとまずよかったですね」と、わずかに表情《ひょうじょう》を曇《くも》らせたことが、赤尾には気にかかった。

ベテラン教師が複雑《ふくざつ》な表情をのぞかせたその理由は、翌週になってすぐにわかった。

第三章　それって、ヘン？

「中西《なかにし》さん、中西文乃《あやの》さん。なんだ、文乃は今日も休みか……」

「先生、もうこれで三日目だよ。具合、よっぽど悪いのかなあ」

桜《さくら》の下で文庫本を読みふけり、まったく学級会に参加しようとしなかった少女が学校を休みはじめたのは、上ばきが見つかった翌週《よくしゅう》のことだった。母親から「腹痛《ふくつう》のため欠席します」という連絡帳《れんらくちょう》は来ていたが、三日連続となると、何かほかの理由でもあるのかもしれない。上ばきが見つかったことで、子どもたちのなかでは解決《かいけつ》していた〝事件《じけん》〟だが、赤尾《あかお》には妙《みょう》にそのことが気にかかっていた。


子どもたちが帰ると、赤尾はだれもいなくなった教室で携帯電話《けいたいでんわ》を取りだした。本来なら保護者《ほごしゃ》とのやりとりは職員室《しょくいんしつ》の電話でするべきなのだろうが、目の前の席には学年主任《しゅにん》の青柳《あおやぎ》がいる。「いまの話はこう進めるべきだった」「あのときのあの会話は、ちょっとちがう」などと細かく口出しされることを考えると、どうしても職員室から電話をかける気にはなれなかった。

　パソコンのキーボードを押《お》すのと同じ要領《ようりょう》で、短いスティック状《じょう》になった右腕《みぎうで》の先端《せんたん》を器用に動かし、数字のボタンをひとつひとつ押していく。まもなく呼《よ》びだし音が鳴ると、赤尾はすばやく体をかがめ、机《つくえ》の上に置いてあった携帯電話《けいたいでんわ》を右肩《みぎかた》と右ほおの間にはさみこみ、受話器部分を耳に当てた。

「はい、もしもし」

「あ、中西さんのお宅《たく》ですか。こちら、松浦西小《まつうらにししょう》で文乃さんの担任《たんにん》をしております赤尾と申しますが」

「ああ、どうも……。娘《むすめ》がいつもお世話になっております」

　電話口の向こうから聞こえる声には、どこか疲《つか》れきったような響《ひび》きがあった。それは、小学生らしいハツラツとした表情《ひょうじょう》を見せることのない娘との共通点を感じさせた。

「文乃さん、お加減《かげん》いかがですか」

「ええ、はい。それが……本人はお腹《なか》が痛《いた》い、学校には行けないと言っているんですが、食欲《しょくよく》はありますし、熱があるわけでもないんです。家でも好きな本ばかり読んでいまして、とくに横になっていないとつらいという様子でもなくて」

「ああ、そうですか」

　やはり、体調を崩《くず》しているわけではないようだった。崩しているのは、心の調子。もしかしたら上ばきを隠《かく》したのも――という考えも浮《う》かんだが、いまはそのことを追及《ついきゅう》するより、文乃を救いだすことが先決だった。

「お母さん、いまからうかがってもいいですか？」

「えっ、うちにですか。もちろん、かまいませんけれど……」

言葉が途切《とぎ》れ、母と娘《むすめ》が何やら言葉をかわす様子が伝わってくる。そして、娘の思いを、母親が申《もう》し訳《わけ》なさそうに代弁《だいべん》する。

「でも、娘はずっと部屋にこもったきりですので、お会いいただけるかどうかは……」

「ええ、それでもかまいません。じゃあ、三十分後にうかがいますね」


学校から歩いて十五分ほど。となりの学区域《がっくいき》との境目《さかいめ》あたりに、中西文乃の家はあった。築《ちく》二十年は経過《けいか》しているだろう四階建ての小さなマンション。新築時にはまぶしいほどの白さだったであろう外壁《がいへき》も、長年の風雨にさらされて、いまはすっかり落ちついている。茶色い錆《さび》の目立つ郵便受《ゆうびんう》けに「三〇二　中西」の文字を確認《かくにん》すると、ベビーカーやら三輪車が押《お》しこまれている階段《かいだん》わきのスペースに車いすを停《と》めた。そして、介助員《かいじょいん》である白石《しらいし》に抱《かか》えあげられ、三階の部屋を目指した。

呼《よ》び鈴《りん》を鳴らすと、こげ茶色のドアが薄《うす》く開かれ、四十歳《さい》前後の女性《じょせい》が顔をのぞかせた。ほとんど化粧《けしょう》っ気もなく、生《は》え際《ぎわ》のあたりに少しだけ白いものがまじったその顔からは、やはり電話のとおり、どこかくたびれた印象を受けた。

「こんにちは。松浦西小の赤尾です！」

手足がないとはいえ、三十五キロもある体を支《ささ》えつづけ、さすがにふるえだした白石の腕《うで》のなかから赤尾が元気よくあいさつすると、母親の久美子《くみこ》は弱々しい笑顔《えがお》でドアを開け、ふたりを迎《むか》えいれた。

八畳《じょう》ほどの居間《いま》には不釣《ふつ》りあいな大きめのダイニングテーブルに案内される。その上には、黄色と白のチェック柄《がら》のテーブルクロスがかけられていた。白石は自分の足を椅子《いす》の脚《あし》にからめるようにして引きだすと、そこに赤尾をすわらせた。ふうと大きな息をついておでこの汗《あせ》をぬぐい、自分も赤尾のとなりに腰《こし》かける。

「どうぞ」

涼《すず》やかなグラスに注がれた麦茶をふたりの前に差しだすと、久美子はテーブルをはさむように、向かい側へ腰を下ろした。となりには、にこやかに笑う少女がすわっている。

「あ、この子は文乃の姉で、佳美《よしみ》です。この春で中学二年生になりました」

「よじみです。ごんにぢは」

少し聞き取りづらい言葉に、あまり起伏《きふく》のない顔立ち。姉の佳美は、ダウン症《しょう》だった。

「佳美ちゃん、よろしくお願いします。文乃ちゃんの担任《たんにん》で、赤尾といいます」

「ぼくはそのお手伝いをしている白石です。よろしくね」

佳美はうれしそうにうなずくと、そばにあった棚《たな》からミッキーマウスが描《か》かれた六角形の缶《かん》を取りだし、なかからふたりにクッキーを手渡《てわた》した。

「わあ、ありがとう」

薄《うす》いビニールに包まれた菓子《かし》を受けとった赤尾は、わざと大げさによろこんでみせた。重たい空気になりがちだったこの日の訪問《ほうもん》も、佳美という少女の無邪気《むじゃき》さに救われ、ふしぎとなごやかな雰囲気《ふんいき》に包まれた。

母の久美子は、障害《しょうがい》のある長女を自然に受けとめてくれた赤尾と白石に安心したのか、さっきよりも少し表情《ひょうじょう》をやわらげ、口を開きはじめた。

「正反対の姉妹《しまい》でしょう？」

まだ担任《たんにん》となって三週間ほどだったが、母親の意味するところはよくわかった。小学五年生とは思えないほど理知的で、向学心もある文乃だが、クラスではやや浮《う》いた存在《そんざい》で、休み時間に友達と楽しげにおしゃべりする姿《すがた》などこれまでに見たことがなかった。

姉の佳美は、おそらく学力という面では期待できなかったが、その場にいるだけで周囲を笑顔《えがお》にさせる、ふしぎな力があった。自分がつくりだした殻《から》のなかで生きる妹とは、それだけでちがっている。

「むかしは、あんな子じゃなかったんですよ」

母の久美子が、赤尾たちの背中《せなか》にある白い扉《とびら》の奥《おく》を見つめながら言った。

「あの子、フルートが好きでしてね。あ、わたしがちょっとだけやっていた時期があったもので、家にあったんですよ。ためしに吹《ふ》かせてみたら、すごく興味《きょうみ》を持ったみたいで」

「へえ、それは知らなかった。じゃあ、いまでも熱心に？」

「それが去年の夏頃《ごろ》から、急にやめてしまったんです。それまではかんたんな曲ですけど、いろいろと練習してはわたしたちの前で披露《ひろう》してくれたりして……だけど、もうベッドの下にしまいこんだまま、半年以上はふれてもいないんじゃないかしら」

久美子は、さびしそうに目を伏《ふ》せた。

「去年の夏に、何があったんでしょう？」

「わかりません。主人とは思春期なのかな、とは話をしているんですが……。ただ、ひとつ思いあたるのは、去年の夏に家族で動物園に行ったときのことです」

「動物園？」

「はい。家族四人で動物園に行ったんですが、この子がゾウの柵《さく》の前から動かなくなってしまったんです。気に入ったんでしょうかねえ、腕《うで》を上手に使いながら、ずっとゾウの動きをまねするんです」

するとと、となりで聞いていた佳美がうれしそうに右腕をくねらせて、ゾウの鼻の動きを上手に再現《さいげん》した。

「まわりにいた小さなお子さんたちからは大笑いされていたんですが、この子はそういうのわからないでしょう。きっと、よろこんでもらってると思ったのかな、ずっと、ずっと、いつまでも続けていたんです」

だが、その晩《ばん》、家に帰った文乃は夕飯も食べずに部屋に閉《と》じこもると、朝方まで出てこなかったという。

「それまでも勉強は嫌《きら》いなほうではなかったんですが、二学期からは人が変わったように勉強を始めたんです。意欲的《いよくてき》にと言えば、聞こえはいいのかもしれませんが、親のわたしから見ても、何かから逃《に》げるようにして打ちこんでいるというか……」

あまり笑顔《えがお》を見せなくなった。食卓《しょくたく》で学校の話をしなくなった。急激《きゅうげき》に読書量が増《ふ》えた。考えてみれば、すべてこの時期を境《さかい》にしてのことだった、と母親は振《ふ》りかえる。

「お母さん、また来ます」

「えっ?」

おどろいたのは、白石も同じだった。まだ肝心《かんじん》の文乃に会っていないし、会おうというアクションさえ起こしていない。ただ呆気《あっけ》にとられるふたりをよそに、赤尾は椅子《いす》の上で体の向きを変えると、白い扉《とびら》の奥《おく》に向かって声をかけた。

「文乃、また来るな。先生、おまえのこと助けてやりたいけど、正直、どうしたらいいのかわからない。だから、今日お母さんから聞いた話をもとに、もう一度ゆっくり考えてみて、また来るから。でも、文乃、だいじょうぶだからな。きっと、だいじょうぶだから」

そう言って正面に向きなおると、赤尾は久美子に向かって深く頭を下げた。あわてて頭を下げかえす母の横で、佳美は楽しそうにゾウの仕草をまねつづけていた。

「まちがい、ないだろうなあ」

「うん、そうだね……」

文乃の家を出て学校へもどる道すがら、ふたりは母の久美子から聞いた話の内容《ないよう》を振《ふ》りかえっていた。幸二《こうじ》と聡子《さとこ》の上ばきを隠《かく》していたのは、おそらく心のバランスを崩《くず》した文乃の仕業《しわざ》だろう。しかし、「みんなの力になれずに申《もう》し訳《わけ》ない」とあやまる、赤尾の教師《きょうし》らしからぬ対応《たいおう》に心がちくりと痛《いた》み、上ばきをそっと下駄箱《げたばこ》にもどした。だが、それでも心のもやもやは晴れないまま。そうして、文乃は学校に来られなくなってしまったのだろう。

「やっぱり、佳美ちゃんのことかなあ」

赤尾は、無邪気《むじゃき》な笑顔《えがお》でクッキーを手渡《てわた》してくれた姉・佳美のことを思いうかべた。

「うん。動物園での出来事は、彼女《かのじょ》にとってトラウマになっているんじゃないかな。家族のなかではあたりまえの存在《そんざい》として受けいれてきたお姉ちゃんだけど、一般社会《いっぱんしゃかい》においては、やっぱり異質《いしつ》な存在であることを目の当《まあ》たりにした。悔《くや》しかったのか、恥《は》ずかしかったのかはわからない。けれど、お姉ちゃんに対する見方がそれまでとはがらっと変わったことはまちがいないよね」

「まあ、そうだろうな」

「自分の姉が、障害者《しょうがいしゃ》であるという事実。大好きなお姉ちゃんが、公衆《こうしゅう》の面前で大笑いされるという現実《げんじつ》。小学四年生の、十歳《さい》の女の子には、やっぱり衝撃的《しょうげきてき》な場面だったんじゃないかなあ」

他人の気持ちを思いやることが、白石は子どもの頃《ころ》から得意だった。そして赤尾は親友のそうした能力《のうりょく》を、深く信頼《しんらい》していた。

「でも、わからないんだよなあ」

学校の教職員《きょうしょくいん》もよく利用する松浦西郵便局《ゆうびんきょく》がある曲がり角まで来たあたりで、赤尾は首をひねった。久美子の話によれば、文乃が心を閉《と》ざしてしまったのは去年の夏のこと。笑顔《えがお》が消え、一心不乱《いっしんふらん》に勉強を始めたという変化こそあったが、とくに問題行動を起こすようになったとは聞いていない。四年生のときの担任《たんにん》からも、文乃が要注意児童であるとの報告《ほうこく》は受けていなかった。ならば、なぜこのタイミングで、クラスメイトの上ばきをかくすという行動に出たのか。

「ぼくには、ちょっとわかる気がするなあ」

白石が、遠慮《えんりょ》がちに口を開いた。

「どういうこと？」

「それはさ、たぶん、なんだけど……」

言いづらそうに、赤尾の顔をのぞきこむ。

「いいよ、言ってくれよ」

「うん。それは、慎《しん》ちゃんが障害者《しょうがいしゃ》だからじゃないかな」

「何だって？」

「動物園での一件《いっけん》以来、彼女《かのじょ》にとって、〝障害〟はいま最も避《さ》けたいキーワードだろうし、できればフタをしておきたいテーマだと思うんだ。お姉ちゃんのこともほんとうは好きなんだけれど、いまは向きあいたくない。そうしてお姉ちゃんから、障害から、逃《に》げるようにして勉強に打ちこんできたはずなのに、新たにやってきたのが——」

「障害者の担任《たんにん》、というわけか」

ため息まじりに結論《けつろん》を口にした赤尾を、白石はすまなそうな顔で見つめていた。白石の考えが正しければ、少女が必死に逃げてきたその逃げ道を、赤尾自身の存在《そんざい》がふさいでしまっていることになる。

「優作《ゆうさく》……オレ、どうしたらいいんだろう。明日になったら急に手足が生えてくるわけでもないし、オレが障害者であるという事実は変えようがない。でも、担任として、教師《きょうし》として、なんとか文乃のことを救ってやりたいんだ……」

その夜、赤尾は机《つくえ》に向かって手紙を書きはじめた。得意のパソコンで打ちこんでしまい、それを印刷したほうがより短時間で仕上げることができる。だが、赤尾はあえて気持ちが伝わるよう、手書きを選んだ。短い右腕《みぎうで》と右ほおの間にペンをはさみ、上半身を揺《ゆ》らしながら、一字一字、ていねいに書きすすめていく。

「中西文乃さま
文乃が学校に来なくなって、先生はさみしい毎日を過《す》ごしています。先生は五年三組のみんなが大好きだから、ひとりでもお休みの子がいると、とてもさみしい気持ちになってしまうんだ。

きっと、文乃にも学校に来たくない理由があるんだと思います。それは、もしかしたら先生が原因《げんいん》かもしれない。そうだとしたら、ほんとうにごめんな。先生はみんなを笑顔《えがお》にするのが仕事なのに、かえって苦しませてしまっているなんて……。

それでも、やっぱり文乃には学校に来てほしい。今日の五時間目は、時間割《じかんわ》りを変更《へんこう》して道徳《どうとく》をやります。先生に、一度だけチャンスをくれませんか。文乃には、ぜひその授業《じゅぎょう》に参加してほしい。気分がすぐれなければ、五時間目だけでもいいから。

二十七人の仲間とともに、教室で待っています。

赤尾慎之介《しんのすけ》」


翌朝《よくあさ》、赤尾はいつもより三十分ほど早く家を出ると、文乃の家に立《た》ち寄《よ》り、前夜にしたためた手紙を母の久美子に託《たく》してから、学校へと向かった。


「先生、文乃ちゃん、文乃ちゃんが来たよ！」

三日間欠席が続いていた少女が教室に姿《すがた》を見せたのは、午後の掃除《そうじ》も終わる頃《ころ》だった。何人かの女子が数日ぶりに姿を見せた少女のもとへ駆《か》けよると、まもなく五時間目の開始を知らせるチャイムが鳴った。

「よし、じゃあ始めるぞ」

その声に、子どもたちがつぎつぎと自分の席へもどっていく。二十八人全員がそろって受ける授業《じゅぎょう》は、じつにひさしぶりだった。

「今日は、こんな授業をしようと思っています」

その声に合わせて、白石が黒板の右端《みぎはし》にこの日の授業のタイトルを書いていく。それを見た子どもたちは、ふしぎそうに声に出した。

「それって……ヘン？」

「そう。みんながふだん生活していて、『ヘンなの！』って思うようなこと、よくあるでしょ。でも、それが『ホントにヘンなこと』なのかどうかを、今日はみんなと考えていきたいんだ」

赤尾の話を聞いても、子どもたちはいまひとつピンと来ていない。赤尾は、かまわず続けた。

「ところでさ、この『変』っていう漢字、下の部分だけ『心』に置きかえると、何という字になるか、みんなわかる？」

数秒して、教室のあちこちから「恋《こい》」という声があがった。

「うん、そのとおり。『恋』という字になるね。みんな、もう恋はしてる？　べつにこのクラスじゃなくてもいいけれど、好きな人いるのかな？」

照れくさそうに顔を見合わせる子どもたち。そんななか、「はーい、います！」と先陣《せんじん》を切って手をあげてくれるのは、やっぱり陽介《ようすけ》だった。クラスリーダーの〝告白〟に、数人の子どもがちょっぴりほおを赤らめながら、それに続いた。

「陽介、その好きな相手は〝女の子〟か？」

「は、先生、何言ってんの？　決まってるじゃん！」

「そうか、あたりまえか。じゃあ、京子《きょうこ》はどうだ。さっき手をあげてくれていたけど、その相手は男の子か？」

学級会で陽介とともに司会をつとめた少女も、思いがけない質問《しつもん》に困惑《こんわく》の表情《ひょうじょう》を浮《う》かべながら、「あたりまえでしょ」と怒《おこ》ったようにつぶやいた。

「みんな男子は女子を、女子は男子を好きみたいだけど、世の中はそういう人ばかりじゃない。男の人が男の人を、女の人が女の人を好きになることだってある。みんなは、そういう恋《こい》について、どう思うかな？」

その言葉に、用意してあったワークシートを白石が配りはじめた。どんなタイミングで、ワークシートを配るのか。どんな言葉を、何色のチョークで板書するのか。それらはすべて、赤尾が教科別に用意した大学ノートに綿密《めんみつ》に書きこんでいた。

配られたワークシートには、「男性《だんせい》が男性を、女性が女性を好きになるのは、ヘンなことだと思いますか？」とある。そして「思う・思わない」のどちらかに丸をつけ、その理由を書く欄《らん》が設《もう》けられていた。文乃への手紙を書きあげたあとに、赤尾がパソコンで作成したものだ。

担任《たんにん》の合図に、子どもたちの鉛筆《えんぴつ》が動きはじめる。赤尾は車いすをゆっくりと走らせ、子どもたちがどんなことを書いているか見てまわった。ほとんどの子が、「ヘンだと思う」に丸をしていたのは想定内だった。おもな理由としてあげられていたのは、「男が男を好きになるなんて、なんか気持ち悪い」「ドラマや漫画《まんが》だって、女の人は男の人を好きになるのがフツーだから」。唯一《ゆいいつ》、「思わない」に丸をしていたのは、「好きな人がいる」とまっさきに手をあげてくれた陽介。赤尾が発言をうながす。

「いやあ、べつにいいんじゃないかなって。だれかに迷惑《めいわく》かけてるわけじゃないし。人が人を好きになるんだから、男とか女とか関係ないんじゃない」

クラスの信頼《しんらい》を集める少年の意見はさすがに説得力があるようで、何人もの子が「なるほど」といった表情《ひょうじょう》で陽介を見つめていた。

「じゃあ、次。二番を読んでみてくれる？」

ワークシートの中央に書かれていたのは、「□の体は、ヘンだと思いますか？」。やはり、「思う・思わない」のどちらかに丸をつけ、その理由も書く欄《らん》が設《もう》けられている。

「この□には、何が当てはまると思う？」

赤尾の問いかけにしばらく沈黙《ちんもく》が続いたが、やがて〝教授《きょうじゅ》〟こと工藤公彦《くどうきみひこ》が手をあげた。

「赤尾……先生？」

「正解《せいかい》！　みんなも見てのとおり、先生の体はみんなとずいぶんちがっているよね。この体、みんなはヘンだと思うかな。まあ、先生を目の前にして『ヘンだ！』とは書きづらいかもしれないけど、これは勉強だから。思ったように書いてほしい」

そう言うと、赤尾はふたたび子どもたちの間へと車いすを走らせた。今度は、「思う・思わない」が半々程度《ていど》の割合《わりあい》になる。子どもたちの意見をじっくり読みとった赤尾は、そのあと、子どもたちどうしで意見をぶつけさせた。

「やっぱりさあ、ヘンというか……手足がないんだよ。とりあえず、びっくりするよね」

「それはオレもびっくりしたけど、でも、なんか毎日見てたら慣《な》れてきた！」

「でもさ、先生にはできないこといっぱいあるじゃん。牛乳《ぎゅうにゅう》キャップも開けられないし、みかんの皮むけないし、それに……トイレだって自分じゃ行けないんでしょ」

「でも、できることもいっぱいあるぜ。自分でご飯食べて、字も書いて。先生の書く字、オレらより全然うまいじゃん」

「うん、たしかに。『できないことがあるからヘン』と言うなら、わたしはピアノも弾《ひ》けないし、跳《と》び箱《ばこ》だって上手に跳べない。それにさかあがりだって……。そうしたら、わたしのカラダだってヘンだってことになる」

「うーん、そうだけどさ、でもやっぱり、手足がないってフツーじゃないじゃん」

「べつにフツーじゃなくてもよくね？　先生は先生で。てか、何がフツーとかよくわかんないし」

赤尾は、黙《だま》って聞いていた。ときおり、窓際《まどぎわ》にすわる文乃に目をやったが、とくに議論《ぎろん》に参加する様子はなく、クラスメイトの意見をただじっと聞いていた。

意見が出《で》尽《つ》くしたところで、赤尾が引きとった。

「フツーという言葉の意味、むずかしいね。さっきの恋《こい》の話でも、先生の体についても、みんな『フツーじゃないからヘン』という意見だったけど、じゃあ、フツーって何だろう？」

担任《たんにん》から新たに投げかけられた質問《しつもん》に、子どもたちは必死に考えをめぐらせた。

「ほとんどの場合は、ってことかな」

「みんなが、とか……」

最後は、教授《きょうじゅ》が〝らしく〟まとめた。

「こう言ったら、わかりやすいんじゃないかな。たとえばこのクラスにひとりだけ外国人がいたら、『日本人であること』がフツーになる。だけど、逆《ぎゃく》に外国人のなかに日本人がひとりだけいたら、『外国人であること』がフツーになる。というか、その場合は『日本人＝外国人』だよね」

「そうか、圧倒的《あっとうてき》に数が多いことが〝フツー〟ってことなんだ！」

陽介がさけんだ。では——と、赤尾が質問《しつもん》を重ねる。

「じゃあ、フツーじゃない人の立場ってどうなるんだろう。みんなとちがうからヘン。ひとりだけだからダメ。そういうことになるのかな？」

この担任《たんにん》の意見に対しては、子どもたちの間から反論《はんろん》が相次いだ。

「それはおかしいよ。みんなとちがったって、べつにいいと思う。その人はその人だもん！」

「その人だって、好きでみんなとちがうふうになったわけじゃないから、仕方ないよ」

「いまの話だと、先生のカラダだってちっともフツーじゃないってことになるけど、でも先生は先生だし、全然ダメじゃない」

子どもたちの意見をひとつひとつ深くうなずきながら聞いていた赤尾は、最後のまとめとして話を始めた。

「障害者《しょうがいしゃ》という言葉、みんなも聞いたことあるよね。先生も、そのうちのひとり。でも、世の中には先生のように手や足に障害がある人だけじゃなくて、目が見えなかったり、耳が聞こえなかったり、いろいろな障害を持った人がいる。ほかにも、みんなとは感じ方がちがったり、同じように考えることができなかったり、〝多くの人とはちがう人〟がたくさんいるんだ」

文乃は、じっと聞いている。

「障害だけじゃない。さっき公彦が外国人の話をしたけど、肌《はだ》の色がちがうこともあるだろうし、話す言葉がちがったり、信じている宗教《しゅうきょう》がちがったり、人にはいろんなちがいがある。それが、多くの人とちがっていたときに、ぼくらはその人のことを『ヘンだ』とか『フツーじゃない』と言ってバカにしてしまうことがあるよね。それが、どういうことなのか。今日の授業《じゅぎょう》でみんなが感じたことを、ワークシートの三番のところに書いてみてほしい」

これまでとはまたちがった雰囲気《ふんいき》で、子どもたちは作業に取りかかる。すぐに書きだす子もいれば、宙《ちゅう》をにらみながら友達の意見を思いかえしている子もいる。赤尾は、教室をぐるりと一周しながら、窓際《まどぎわ》にある文乃の席へと近づいていった。これまでの問いには何も書かずに空欄《くうらん》のままにしていた少女も、いまは一心不乱《いっしんふらん》に鉛筆《えんぴつ》を走らせている。

「わたしのお姉ちゃんは、ダウン症《しょう》です。外に出ると、笑われることもあります。いままでは仕方ないかなと思っていたけど、やっぱりお姉ちゃんがバカにされるのはくやしいです。

みんなとちがっていても、お姉ちゃんはお姉ちゃん。わたしの大事な、お姉ちゃん。お姉ちゃん、ごめんね――」

翌朝《よくあさ》、晴れやかな笑顔《えがお》で「おはようございます」と職員室《しょくいんしつ》に飛びこんできたのは、ずっと欠席が続いていた文乃だった。朝から元気な姿《すがた》を見せてくれたのは、じつに一週間ぶり。これまで自分からあいさつなどすることがなかった少女の変わりように、赤尾の返事は思わず上ずった。

「先生、これお母さんから！」

そう言って連絡帳《れんらくちょう》を赤尾の机《つくえ》の上に差しだすと、「失礼しました」と頭を下げ、軽《かろ》やかな足取りで教室へと向かっていった。その姿を見送ると、赤尾は四つ葉のクローバーをモチーフにした、かわいらしい表紙の連絡帳をそっと開いた。

〈このたびは大変ご心配をおかけしました。昨日、学校から帰ると、ひさしぶりにフルートを取りだし、わたしたちの前で演奏《えんそう》してくれました。今日は体調も悪くないようで、学校へ行くと申しております。どうぞ、よろしくお願いいたします。中西〉

そのページにはボールペンで書かれた母のメッセージとともに、子どもの字で「先生へ」と書かれた白い封筒《ふうとう》がはさまっていた。白石にハサミで封を切ってもらうと、急いで中にあった手紙に目を通した。

「先生、いろいろごめんなさい。わたしはお姉ちゃんのことが大好きです。去年の夏、お姉ちゃんが動物園でみんなから大笑いされたとき、ほんとうに、ほんとうにくやしくて、ずっとお部屋で泣いちゃいました。でも、それから、なぜかお姉ちゃんといっしょにいるのが苦しくなってしまいました。

だけど、昨日の授業《じゅぎょう》で、それはわたしがお姉ちゃんのことを『フツーじゃない』と思ってしまっていたからだと気づきました。お姉ちゃんは、お姉ちゃんでいいのに。みんなとちがっていてもいいのに。だから、お姉ちゃんに『ごめんね』って思いました。

わたしが一生けん命に勉強するのは、お医者さんかべんご士になって、いっぱいお金をかせぐためです。お父さんも、お母さんも、いつまで元気でいられるかわかりません。だから、わたしがいっぱいお金をかせいで、お姉ちゃんのめんどうを見ます。あまり好きではなかった勉強も、お姉ちゃんのためだと思うとがんばれます。だから、お姉ちゃんには感しゃしています。

先生、このまえ、うちに来てくれたとき、『文乃、だいじょうぶだよ』って言ってくれたでしょ。すごくうれしかったよ。先生、これからもよろしくお願いします。

文乃より」

最後まで読みおえると、ちょうど始業を知らせるチャイムが鳴った。

「ほら、慎ちゃん。子どもたちの前でみっともないから拭《ふ》きなよ」

白石が手渡《てわた》してくれたハンカチを短い腕《うで》で目元に押《お》しあてると、思いきり洟《はな》をすすった。

「優作、行こうか。今日もがんばろう」

背《せ》の高い車いすが、ジーンという独特《どくとく》のモーター音を立てて職員室《しょくいんしつ》を出ていった。

第四章　ナンバーワンになりたくて

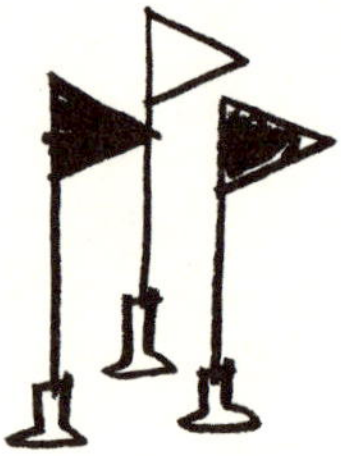

「へい、ぶーちゃん。こっちだ！」

陽介《ようすけ》とともにクラスで一、二を争う運動神経《うんどうしんけい》の持ち主の川口康平《かわぐちこうへい》は、相手に三方を取りかこまれてしまった大柄《おおがら》な少年のうしろに回りこむと、軽く右手をあげてパスを要求した。その声に振《ふ》りむいたぶーちゃんこと幸二《こうじ》からボールを受けると、両足の裏《うら》をうまく使った巧《たく》みなステップで、つぎつぎと相手のディフェンスをかわしていく。

「やっぱり、うめえなあ。康平は！」

あまりにスピーディーで軽《かろ》やかなドリブルに、慎吾《しんご》などは、康平が相手チームであることも忘《わす》れて、素直《すなお》に称賛《しょうさん》の声をもらしていた。

五人を抜《ぬ》きさったかに思えたそのとき、俊足《しゅんそく》をとばしてゴール前まで駆《か》けもどってきたのは、相手チームのキャプテンをつとめる陽介だった。康平と陽介とは、だれもが認《みと》める無二の親友。スポーツ万能《ばんのう》のふたりは、たがいをライバル視《し》しながらも切磋琢磨《せっさたくま》しあう、クラスの中心的存在《そんざい》だった。

五年三組の男子がこうしてサッカーをするときも、康平と陽介がそれぞれキャプテンとしてジャンケンを行い、勝ったほうから味方選手として好きなクラスメイトを指名していく――いわゆる〝とりっこ〟という方法でチーム分けをしていた。

そのキャプテンどうし、康平と陽介がボールをはさんで向きあっている。右へ、左へ、康平は何度も上半身を揺《ゆ》らしてフェイントをかけようとするが、陽介はなかなか釣《つ》られず、じっと身がまえている。そのとき――。

「康平、こっちだ！」

大声を出しながら、猛然《もうぜん》とゴール前に駆《か》けこんでくる男がいた。あまりの大きな声に、五年三組の男子だけでなく、近くでドッジボールをしていた四年生までもが振《ふ》りかえる。声の主は、担任《たんにん》の赤尾《あかお》だった。

ふだんは車いすに乗ったまま授業《じゅぎょう》をする赤尾だが、校庭や体育館で子どもたちと遊ぶときには車いすから降《お》り、〝生身のカラダ〟で勝負する。それは、赤尾がまだ小学生だった頃《ころ》、なんとかクラスの友達と同じ遊びができるようにと、おそるおそる車いすから降りて、自分の体だけで動けるよう猛特訓した成果だった。

地べたにぺたんとすわりこむような体勢《たいせい》から、短い両足を地面に叩《たた》きつけるようにして、その小さな体を前進させる。尻《しり》もちをついたまま、その尻をひきずるようにして進むその動きは、けっして「走る」と表現《ひょうげん》できるほどのスピード感ではなかったが、一秒でも速く前に進みたいという思いは、強く伝わってきた。

子どもたちも、はじめはその〝走り〟に度肝《どぎも》を抜《ぬ》かれた。自分の腰《こし》のあたりに担任《たんにん》の顔があり、ちょこちょこと動きまわる。最初の頃《ころ》はボールといっしょに蹴《け》ってしまわないか、ひやひやしたものだ。だが、一ヵ月もすると、そんな戸惑《とまど》いを感じていたことすら忘《わす》れてしまい、こうして手足のない担任教師《きょうし》とサッカーをすることが、いつしかあたりまえのものとなっていた。

「先生！」

康平から、絶妙《ぜつみょう》のパスが転がってくる。赤尾は、短い足を必死に伸《の》ばした。紺色《こんいろ》のジャージの先端《せんたん》にわずかにふれたボールは、その軌道《きどう》を変えてゴールへと吸《す》いこまれていく。康平をぴったりマークしていた陽介の足も、さすがに届《とど》かない。

「うおお、やったあああああ！」

「やったね。先生、ナイスシュート！」

殊勲《しゅくん》のゴールをあげた赤尾と見事なラストパスを出した康平のもとに、チームメイトが駆《か》けよってくる。だが、クールな康平に比《くら》べ、どう見ても教師である赤尾のほうがよろこびを爆発《ばくはつ》させていることが、そばで見ていた白石《しらいし》にはおかしくて仕方なかった。

「いまのは〝先生特別ルール〟だから二点だね。ということは、これで三対二で逆転《ぎゃくてん》だ！」

四月、赤尾が「先生もまぜてくれよ！」と仲間に加わりだすと、子どもたちは「先生はぼくたちほど強く蹴《け》れないから」という理由から、〈先生がシュートを決めたら二点〉という特別なルールを考えだしてくれた。だから、この日のように赤尾のたった一本のシュートで一気に逆転《ぎゃくてん》してしまう試合も少なくなかった。

「あーっ、鳴っちゃった……」

赤尾を中心とした歓喜《かんき》の輪がほどかれようとしていた頃《ころ》、昼休みの終わりを知らせるチャイムが鳴りひびき、同時に康平チームの勝利が決まった。

「ちぇっ、もう一分早く鳴ってくれてたら、オレらの勝ちだったのにな」

「先生、ずりーよ。子ども相手にムキになってさ！」

「ホントだよ。先生、おとなげないぞー」

陽介チームの男子がつぎつぎと口にする負けおしみを、赤尾は満面の笑《え》みで受けとめた。

「へへへ。先生はおとなげなんてなくていいんだ。ほしいのは、〝チームの勝利〟！」

「もう、へんな先生が担任《たんにん》になっちゃったなあ……」

「悪いなあ、先生は大の負けずぎらいなんだ！　さあ、掃除《そうじ》だぞ、掃除」

子どもたちと笑顔で言葉をかわしながら、赤尾は桜《さくら》の木のわきに停《と》めてあった車いすに、勢《いきお》いをつけてよじ登った。汗《あせ》ばんだ額《ひたい》に、五月のさわやかな風が心地《ここち》よかった。

松浦西小学校《まつうらにし》では、毎年、五月最終週の土曜日に運動会が開催《かいさい》されていた。四月最終週には種目が発表され、ゴールデンウィーク明けから各種目の練習が本格化《ほんかくか》する。五月は、学校全体が運動会一色に染《そ》まる時期と言ってよかった。

「三・四年生のときの徒競走は八十メートルだったけど、みんなはもう高学年。今年からは、いよいよ百メートルになるからな」

赤尾の言葉に、教室がざわつきはじめた。

「百メートルなんてムリだよお。途中《とちゅう》で疲《つか》れちゃう」

「足の遅《おそ》いオレらには地獄《じごく》だよなあ。走りたいヤツだけが走ればいいのに」

「先生、途中でおやつ休憩《きゅうけい》はさんでもいいですか?」

幸二の本気ともつかない泣きごともふくめ、聞こえてくるほとんどの声が、うしろ向きのもの。運動会の花形種目である徒競走にこれだけ消極的な姿勢《しせい》を見せる理由が、赤尾にはわからなかった。

「なんだよ、みんな。こういうときこそ『負けるもんか!』という強い気持ちで向かっていかないと」

少しでも子どもたちの気持ちを盛《も》りあげようと言葉をかけてみたが、まるで効果《こうか》はない。

「負けてもべつにいいよ」

「勝ったからって何か賞品が出るわけじゃないしね」

「たしかに！　一位になったらＤＳ《ディーエス》のソフトもらえるとかだったら、チョーがんばるのに」

　聞いているだけで、赤尾は腹《はら》の虫《むし》がもぞもぞと動きだすのを感じていた。子どもたちは、担任《たんにん》の顔色が変わっていくのも気づかず、おしゃべりを続けている。

「でもさ、最終レースだけはちょっと楽しみだよね。各クラスの速い人だけが集まって、学年でいちばん速いヤツを決めるんだから」

「まあ、今年も学年トップは康平で決まりっしょ。なんたって、入学してから去年まで、四連覇中《れんぱちゅう》だからね」

　慎吾が、まるで自分のことのように自慢《じまん》している。

「でも、今年はわからないよ。一組に転入してきた野田雄也《のだゆうや》とかいうヤツ、むちゃくちゃ速いらしいぜ」

「え、マジかよ!?　康平、ピンチじゃん！」

「康平、負けんなよ。応援《おうえん》してるからな」

　全員が参加する競技《きょうぎ》だというのに、まるで他人事《ひとごと》のようなセリフ。赤尾は、怒《いか》りを通りこして、なかばあきれてしまった。

「こらこら。『応援してるからな』って、自分たちも走るんだぞ。いいか、友達の応援もいいけれど、まずは自分が一等賞をとれるように、みんながんばろうな」

　かけ声もむなしく、子どもたちからは気の抜《ぬ》けた返事しかもどってこなかった。

「あいつら、いったい何なんだろうな」

「ああ、運動会のこと？」

「やる気ないというか、闘争心《とうそうしん》がないというか、見てるとイライラしてくる」

松浦川沿《ぞ》いの遊歩道を歩くふたりの頭上に、銀色のまあるい月が輝《かがや》く学校からの帰り道。

赤尾は、百メートル走におよび腰《ごし》だった子どもたちに感じていたいらだちを、隠《かく》すことなく白石にぶつけた。

「横で見ていて、慎《しん》ちゃん、怒《おこ》ってるんだろうなあと思ったら、おかしくって」

「笑いごとじゃない！」

「ごめん、ごめん」

赤尾の興奮《こうふん》を冷まそうと、わざとおどけてみせた白石の態度《たいど》は、しかし、その怒《いか》りの火にかえって油を注いでしまったようだった。

「よくさ、新聞とかに載《の》ってたじゃん。『順位をつけない運動会』とかいうの。ゴール直前でお手々つないで、みんなでゴールみたいな。うちの学校、そんなのだったらイヤだなあと思ってたんだけど、まともに徒競走やるというんで安心したんだ」

「まあ、職員会議《しょくいんかいぎ》で聞くかぎりはオーソドックスなやり方だったよね」

「でもさ、あいつらがあんな態度だったら同じだと思わないか。べつに勝てなくたっていい。ビリだってかまわない。だったら順位なんてつけたって――」

「ほんとうにそう思ってるのかな」

「えっ？」

川沿《かわぞ》いで急に立ちどまってつぶやく白石を、赤尾は車いすの運転を止めて振《ふ》りかえった。

「あいつらだって、ほんとうは勝ちたいし、ビリになんてなりたくないんじゃないかな。だけど、『負けたくない』『一位になりたい』と口にする勇気がないんだと思う」

「勇気？」

「何かで一番になろうと思ったら、当然、努力が必要になってくる。でも、努力して、がんばって、それでも一番になれなかったら、子どもは傷《きず》つくよね。『自分はここまでの人間なんだ』って、天井《てんじょう》が、自分の限界《げんかい》が見えてしまう。『だったら、はじめから一等賞なんて目指さない』と考える子がいても、ふしぎじゃないと思うんだ」

「まあ、それはそうかもしれないけど、でもそんなこと言ったら――」

「うん、成長はないよね。でも、成長しないぶん、傷つくこともない。『自分は本気を出していないだけ。本気さえ出せば、いつかは何とかなる』って。そんな夢《ゆめ》を見続けることができるから」

「そんなの夢って言わねえよ。ただ逃《に》げてるだけじゃん」

赤尾は吐《は》きすてるように言ったが、その表情《ひょうじょう》にはどこかさびしさが漂《ただよ》っていた。

「慎ちゃん、あまり責《せ》めないでくれよ」

「べつに優作《ゆうさく》のこと責《せ》めてるわけじゃないよ」

「ぼくがさ、そういう子どもだったんだよ。慎ちゃんも知ってるだろ。ぼくがあまり運動が得意じゃなかったこと。でも、子どもの頃《ころ》はそれを認《みと》めたくなくて、『ぼくは本気出してないだけだ』って自分に言い聞かせてた。傷《きず》つくのが、こわかったんだよ。だから、あいつらの気持ち、ちょっとわかる気がするんだ」

見慣《みな》れているはずの丸顔が、月明かりに照らされて、いつもより青白く見える。赤尾は、返す言葉を見つけられずにいた。

「でも、いまでは後悔《こうかい》してる。もっとがんばればよかったなって。運動だけじゃなくてさ、いろんなこと。勉強にしても、恋愛《れんあい》にしても……。やっぱり、慎ちゃんはすごいよ。ぼくたちよりできないこと多いはずだし、やってみたってムリなこと多いはずなのに、とりあえずはぶつかっていくじゃん」

「そんなことないけど……」

「覚えてる？　中学生のときだってさ、みんながムリだって言ってるのに、学年でいちばん人気があった麻美《まみ》ちゃんにコクって、見事に玉砕《ぎょくさい》――」

「だあーっ、おまえ、そういう話してるんじゃないだろ。てか、過去《かこ》の傷にふれるなよ！」

「あはは。冗談《じょうだん》、冗談。だからさ、慎ちゃんには、子どもたちの背中《せなか》を押《お》してやってほしいんだ。傷つくことをおそれて、チャレンジできずにいるあいつらの背中を」

「わかった。どうしたらいいのか、ちょっと考えてみるよ」

松浦川沿《ぞ》いの遊歩道を、ふたりはまた肩《かた》をならべて歩きだした。


「あ、赤尾先生。遅《おそ》くなっちゃって、ごめんなさい。これ、『今月の歌』です！」

音楽担当《たんとう》の緑川陽子《みどりかわようこ》は、出勤《しゅっきん》してきたばかりの赤尾を見つけると、模造紙《もぞうし》サイズの紙に大きく歌詞《かし》を印刷したものを手渡《てわた》した。教師《きょうし》としてのキャリアは六年目ということだったが、年齢《ねんれい》は赤尾とさほど変わらないチャーミングな女性《じょせい》で、赤尾にとっては職員室《しょくいんしつ》のなかでも話しやすい存在《そんざい》のひとりだった。

「ありがとうございます。ちなみに、『今月の歌』は何ですか？」

「あ、『世界に一つだけの花』です。ほら、SMAP《スマップ》の！」

「いいわねえ。これ、素敵《すてき》な曲よねえ。わたし、けっこう好きだわ」

めずらしく会話に加わってきたのは、学年主任《しゅにん》の青柳《あおやぎ》だった。

「ほら、何だっけ。『ナンバーワンじゃなくていい。オンリーワンを目指そう！』というメッセージ。教育的にも、とてもすぐれた曲だと思うわ」

本心からそう思っているのか、ただキムタクが好きなだけなのかはわからなかったが、この曲をたいそう気に入っていることだけは、「じゃあ、教室に貼《は》っておくわね」と、足取り軽く職員室から出ていったことからも伝わってきた。

五年三組の教室にも、すぐに『世界に一つだけの花』の歌詞《かし》が貼《は》りだされる。

「あ、この歌知ってる!」

「わたしもテレビで聴《き》いたことがある」

子どもたちの反応《はんのう》も上々で、さっそく、朝の会で歌ってみようということになった。緑川からあずかったMD《エムディー》を「はい、これよろしく」と係の子どもに渡《わた》すと、手早くMDがデッキにセットされ、やがてイントロが流れだす。

〈花屋の店先に並《なら》んだ♪〉

過去《かこ》のヒット曲だけに、赤尾や白石にはなつかしく聞こえたが、きっとはじめてこの曲を耳にする子もいるだろう。曲は、いよいよメッセージ性《せい》に富《と》んだサビの部分へと差しかかっていった。

〈ナンバーワンにならなくてもいい　もともと特別なオンリーワン♪〉

ヒットしていた頃《ころ》には、たしかに「いい曲だな」と聴いていた覚えがある。だが、こうして教師《きょうし》となったいま、改めて聞きかえしてみると、どこか引っかかりを覚えた。

「ほんとうに、〝ナンバーワンにならなくてもいい〟んだろうか……」

「紺野《こんの》先生、どう思います?」

「ああ、ナンバーワンの話な」

上ばき事件《じけん》のときに茶野《ちゃの》が連れていってくれた「焼鳥きたむら」。あれ以来、妙《みょう》に居心地《いごこち》のよさを感じてしまった赤尾は、たびたび紺野を誘《さそ》ってはこの店を訪《おとず》れ、教育談議に花を咲《さ》かせた。ノリが軽く、いい加減《かげん》な男に見られがちだが、子どもに向ける視線《しせん》にはたしかなものがあり、赤尾はその教育観に何度も深くうなずかされてきた。今回も、教室で感じた過去《かこ》の名曲に対する違和感《いわかん》について、どうしても紺野の意見が聞きたくなったのだ。

「じつはな、オレはあんまりあの曲が好きじゃない」

「やっぱり！　でも、どうして……」

「あれはさ、オレら世代の人間にはぴったりの曲だと思うんだ」

「どういうことですか？」

「まあ三十代にもなれば、これから能力《のうりょく》がぐんと伸《の》びることもないし、新たな才能が開花するというケースもめったにない。言葉は悪いけど、〝頭打ち〟の状態《じょうたい》だと思うんだ」

「身もフタもないこと言いますね」

「でも、現実《げんじつ》はそうだろう。そんなとき、『一番になんか、ならなくていい。君は君のままでいいんだから』と言われたらどうだ」

「何か、救われた気持ちになれます」

「だろ。あの曲があんなにもヒットした理由は、そこにあると思うんだ」

すでに二杯目《はいめ》となったジョッキを勢《いきお》いよくかたむけると、紺野はのどを鳴らして三分の一ほど流しこんだ。口のまわりに少しだけ残った白い泡《あわ》を、手の甲《こう》でぐいと拭《ぬぐ》う。赤尾は、質《しつ》問《もん》を続けた。

「そんないい曲なのに、どうして紺野先生はあまり好きじゃないんですか？」

「子どもたちにとっても名曲か、ということなんだ。さっきも言ったように、もうオレらは頭打ち。でも、子どもたちはちがうだろ。あいつらには、まだまだナンバーワンになれる可《か》能性《のうせい》がある。それなのに『ナンバーワンにならなくてもいい』って。はじめから逃《に》げることを教えてどうする、と思っちゃうわけだよ」

「やっぱり、子どものうちはナンバーワンを目指すべきなんですかね」

「結果的に一番になることが重要だとは思ってない。でも、一番になろうと努力することは大事なんじゃないかな。その努力が自分の能力を伸《の》ばすだろうし、逆《ぎゃく》に努力しても報《むく》われない経験《けいけん》を通して、挫折《ざせつ》を知ることができる」

「挫折……ですか」

「挫折ってさ、オレは大事だと思うんだ。そりゃ傷《きず》つくのはしんどいけど、人間は挫折をくりかえすことで学んでいくんじゃないのかな。自分がどんな人間なのか。どんなことに向いていて、どんなことに向いていないのか、なんてことを」

熱っぽく語りつづけた紺野はさすがにのどが渇《かわ》いたらしく、ジョッキに残っていた中身を一気に飲みほすと、近くにいた店員を呼《よ》んで三杯目《ばいめ》のビールを注文した。

赤尾は、じっと考えこんでいた。自分も生まれ持った障害《しょうがい》のおかげで、数多くの挫折《ざせつ》を経験《けいけん》してきた。子どもの頃《ころ》からサッカーが大好きだったが、みんなと同じようにボールを蹴《け》ることはできなかった。テレビで見た音楽番組の影響《えいきょう》でサックスを吹《ふ》いてみたかったが、指のない自分には吹けるはずもなかった。だが、そうした数々の「できないこと」が少しずつ夢《ゆめ》を軌道修正《きどうしゅうせい》し、いまこうして教師《きょうし》という職業《しょくぎょう》へと導《みちび》いてくれた。

「でもさあ」

ようやく運ばれてきた三杯目《ばいめ》のビールでのどを潤《うるお》わせた紺野が、ふたたび口を開いた。

「いまの教育現場《げんば》は、正反対なんだよな。子どもをいかに傷《きず》つけないようにするか。挫折を経験させないようにするか。まさしく『君は君のままでいいんだよ』とビニールハウスで囲いこんで温室栽培《おんしつさいばい》でもしてる感じ。こんなことしていたら、かえってあいつらが将来的《しょうらいてき》に苦労すると思うんだけどなあ」

帰り道、ほおを赤く染《そ》めた赤尾は、ほろ酔《よ》いながら意外にもしっかりした口調で、白石に語りかけた。

「今日の紺野先生の話、このまえ優作が言ってたことと、ずいぶんかぶるとこがあったな」

「うん、『傷つくことをおそれて、チャレンジできない』とかね」

「でも、見方を変えれば、『子どもが傷つかないように、チャレンジさせてない』ってことなんだろうな。学校が、教師が」

「たしかに、そういう言い方もできるね」

「優作、見えてきたよ。あの歌に対する、オレの答え。最終的に目指すのは、やっぱりオンリーワンの存在《そんざい》。でも、オンリーワンになるためには、きっとナンバーワンを目指す時期が必要だと思うんだ」

「なるほどねえ……。じゃあ、どうやって子どもたちの目を『ナンバーワン』に向けていくのか。担任《たんにん》として、腕《うで》の見せどころだね！」

「うん、ちょっと考えなくちゃな」


はじめて三クラス合同で行われた百メートル走の練習。それまでは勝った負けたで大盛《おおも》りあがりを見せていた三組の子どもたちがとたんに声を失ったのは、最終組となる第十四レースの結果を目《ま》の当《あ》たりにしてからだった。

「速《はえ》え……なんだ、あいつ」

最終レースで主役の座《ざ》を奪《うば》ったのは、三組のエース・康平ではなく、四月に五年一組に転入してきたばかりの野田雄也。これまで、走力ではだれにも負けたことがなかった康平の敗戦は、三組だけでなく学年全体に大きな衝撃《しょうげき》を与《あた》えた。しかも、僅差《きんさ》ではなく、二メートル近く離《はな》される大差の敗戦だったことが、そのショックをさらに大きなものにしているようだった。

　給食の時間を迎《むか》えても、三組の雰囲気《ふんいき》は重苦しく、沈《しず》んだまま。給食を食べるペースも、心なしかいつもより遅《おそ》いように感じられた。そんななか、赤尾はあえて子どもたちが避《さ》けているだろう話題に水を向けた。

「みんな、今日の練習はどうだった。百メートル走、よくがんばったな！」

　康平と同じ班《はん》で給食を食べていた京子《きょうこ》が、「先生、ちょっとは空気読んでよ」という表情《ひょうじょう》でにらみつけてくる。赤尾は、おかまいなしに続けた。

「しかし、一組の野田、あいつ速かったなあ。康平も完全にぶっちぎられてたもんな。どうだ、あれだけ離《はな》されると、さすがに悔《くや》しいだろ？」

　担任《たんにん》から心ない質問《しつもん》を受けた少年は、ただ「べつに」とだけ答えると、無造作《むぞうさ》にちぎったパンを口に押《お》しこみ、黙《だま》ってしまった。今度は京子だけでなく、クラスの半数近くが赤尾に抗議《こうぎ》の視線《しせん》を送っている。

「いいか、みんな。やっぱりさ、負けると悔しいだろ。勝ったら、うれしいんだよ。みんなはこのまえから『べつに』とか言ってたけど、今日のこの雰囲気がなによりの証拠《しょうこ》。やっぱり、勝負ごとは勝てばうれしいし、負ければ悔しいんだよ」

　それまで担任をにらみつけていた子どもたちも、赤尾の言葉に力なく視線を落とした。

「だから、先生、運動会ではみんなに勝ってほしい。みんなに勝利のよろこびを味わってほしいと思ってるんだ」

五年生の百メートル走は、一レース六人ずつで走り、計十四レースが行われる。ひとつのレースには各クラスから二名ずつ出場するため、事実上、「クラス全員が一等賞を取る」ことは不可能《ふかのう》だ。

「だから、先生、こんなことを考えた。全十四レースで三組が一位を独占《どくせん》する――これをクラスの目標にしないか？　たとえば、最後の十四レースには、康平と陽介が出るだろう。ふたりのうち、どちらかが一位になればＯＫ《オーケー》。それをぜんぶのレースでやっちゃうんだ」

「そんなのムリに決まってるじゃん！」

すかさず、慎吾が茶々を入れる。

「先生、さすがにそれは確率的《かくりつてき》にむずかしいと思います」

〝教授《きょうじゅ》〟こと公彦《きみひこ》も、論理的《ろんりてき》に異《い》を唱えた。

「そうだね、けっしてかんたんな目標じゃない。それは先生もわかってる。そこで、先生と勝負してみないか？」

「勝負？」

「もし、みんなが運動会当日、全十四レースで一位を独占できたら、先生はみんなの言うことを何でも聞く。あ、と言っても、『ＤＳ《ディーエス》のソフトがほしい』とか、何か物を買うというのはナシだぞ」

「ホントに何でも？」

「ああ、何かあるか?」

陽介がいたずらっぽい笑顔《えがお》を浮《う》かべて、手をあげる。

「先生、じゃあ坊主《ぼうず》になってよ!」

「いいねえ、それ」

「先生が坊主。チョーおもしろそう!」

数分前の通夜《つや》のように沈《しず》んだ空気がウソのように晴れ、教室は大騒《おおさわ》ぎとなる。思いもよらぬ要求を突《つ》きつけられた赤尾は、一瞬《いっしゅん》ためらったあと、ゆっくりと首をたてに振《ふ》った。

「わかった、約束するよ。もし、みんなが運動会の百メートル走、すべてのレースで一位を取ったら、先生はいさぎよく坊主になります!」

「わあ、すげえ!」

「先生、約束だからね。ウソついちゃダメだよ」

教室じゅうが蜂《はち》の巣《す》をつついたような大騒ぎとなるなか、康平だけはただひとり、浮かない顔で給食を食べつづけていた。

〈花屋の店先に並《なら》んだ♪　ドスン〉
〈いろんな花を見ていた♪　ドスン〉
学年主任《しゅにん》の青柳が担任《たんにん》する五年一組では、朝の会で必ず『今月の歌』を歌うことにしている。この日も教室には子どもたちの澄《す》んだ歌声が響《ひび》いていたが、ときおり、大勢《おおぜい》で足踏《あしぶ》みをするような音が遠くから聞こえてくる。

「あら、いったい何の音かしら……」

青柳は教室を出て、となりの二組の様子をうかがった。なかからは、紺野が弾《ひ》くギターの音色と、それに合わせて楽しげに歌う子どもたちの声が聞こえてくるばかり。

「ということは、三組だわ」

ふたたび耳にしたドスンという響きに、青柳はさらに歩みを進めた。

「な、何をなさってるんですか！」

三組の扉《とびら》をがらりと開けた学年主任《しゅにん》は、思いもかけなかった光景におどろきの声をあげた。机《つくえ》をうしろに下げた教室で、二十八人の子どもたちが、まるで相撲取《すもうと》りのように四股《しこ》を踏《ふ》んでいるのだ。

「せーの」

「よいしょお！」

日直のかけ声で、男子ばかりか、女子までもが恥《は》ずかしげもなく足を高く上げ、力強く床《ゆか》を踏みしめている。二十年以上になる青柳の教員生活のなかでも、こんな光景は一度も見たことがなかった。

「あ、青柳先生。おはようございます！」

教室の入り口で呆然《ぼうぜん》と立ちつくす学年主任《しゅにん》の存在《そんざい》に気がついた赤尾は、子どもたちに四股《しこ》を中断《ちゅうだん》するよう目で合図を送ると、元気よくあいさつをした。

「だから、何をなさってるのかと聞いているんです」

「四股です。それが終わったら、つぎは股割《またわ》りをやります！」

赤尾の代わりに、いち早く陽介が返答した。

「赤尾先生のクラスは、いったいいつから相撲部屋《すもうべや》になったんです？」

嫌味《いやみ》がたっぷりとこめられた青柳の質問《しつもん》に、今度は教授《きょうじゅ》が答えた。

「赤尾先生が買ってきてくださった本によると、短期間で足を速くするためにはフォームの矯正《きょうせい》をするほか、股関節《こかんせつ》をやわらかくすることが効果的《こうかてき》だとわかったんです。そのために、ぼくたちは朝の会と帰りの会で、それぞれ四股を二十回、股割りを三十秒ずつすることに決めたんです」

幸二が、ロッカーの上にある学級文庫の棚《たな》から『かけっこでうちの子を一等賞にする方法』と題された本を取りだし、うれしそうに掲《かか》げている。

「──そんなことで足が速くなるとは、とても思えませんけどね。とにかく、ほかのクラスの迷惑《めいわく》になりますから、あまり大きな音を出さないようにしてくださいよ」

そう言うと、ぴしゃりと扉《とびら》を閉《し》め、靴音《くつおと》を立てて自分の教室へともどっていった。

「チクショー、一組にはぜってえ負けねえ」

陽介が、いま青柳が出ていったばかりの扉《とびら》に向かってあかんべえをした。少しずつ熱を帯びてきたクラスの雰囲気《ふんいき》。赤尾は満足げな笑《え》みを浮《う》かべながら、大きな声を張《は》りあげた。

「よーし、続きをやろう。十二回からだ！」


練習を重ねるうち、子どもたちのタイムはぐんぐん伸《の》びていった。股関節《こかんせつ》をやわらかくすることで骨盤《こつばん》が大きく動くようになり、その結果、ストライドが自然と大きくなる——本に書いてあった理論《りろん》の有効性《ゆうこうせい》を、子どもたちがその走りで実証《じっしょう》してくれた。

三クラスによる合同練習でも、どんどん順位が伸びていく。はじめは十四レース中、ちょうど三分の一ほどの四〜五レースでしか一位を取れなかったが、いまでは十レース前後で三組の子が一位を取れるまでになってきた。残りのレースも、ほかのクラスの子とかなり僅差《きんさ》で一位の座《ざ》を争っていて、本番で逆転《ぎゃくてん》するには十分可能《かのう》な範囲《はんい》だった。ただ、一レースをのぞいては——。

「ねえ、先生。やばいよ、最終レース。何度やっても、一組の野田がぶっちぎり。陽介も康平も、まったく歯が立たないんだよ」

「ほかのレースはなんとかなりそうなのに、最終レースだけはどう考えても絶望的《ぜつぼうてき》だよねえ」

給食後の昼休み。教室の教師用《きょうしよう》机《づくえ》で漢字ドリルの丸つけをしていた赤尾のまわりに京子をはじめ数人の女子が集まり、百メートル走の展望《てんぼう》についてかしましく話をしている。そのとき、がらりと扉《とびら》を開けて教室にもどってきたのは、話題の主役でもある康平だった。

「いまの聞こえちゃったかな……」

「平気じゃない？　扉閉《し》まってたし」

気まずそうに向けられた視線《しせん》に気がついた康平は、一度は自分の座席《ざせき》にもどったものの、居心地《いごこち》の悪さを感じてか、またすぐに席を立った。周囲を威嚇《いかく》するように大げさな足音を立てて歩くと、荒々《あらあら》しく扉を閉め、ふたたび教室を出ていった。ここ数日、ふだんはクールな康平があきらかにいらだったそぶりを見せていることは、クラスのだれもが気づいていた。

「先生、たいへんだ。たいへんだよお！」

慎吾が血相を変えて飛びこんできたのは、康平が肩《かた》を怒《いか》らせて教室を出ていった数分後のことだった。

「どうした、そんなにあわてて？」

「あのね、康平と陽介がね、はあ、はあ……校庭で、取っ組みあいのケンカしてるの」

「何だって!?」

あわてて車いすを操作《そうさ》し、エレベーターに乗りこんで一階のボタンを押《お》す。自分の足で駆《か》けおりることができないもどかしさに、赤尾はその身をふるわせた。慎吾たちに遅《おく》れること数分、ようやく校庭にたどりつくと、先に駆けつけていた白石が康平と陽介の間に入り、両者の体を必死に引きはなしているところだった。

「どうした。何があったんだ!?」

白石の体をはさんでにらみあいを続けるふたりには、とても冷静に答える余裕《よゆう》がない。その一部始終を見ていた慎吾が、代わって衝突《しょうとつ》の理由を説明してくれた。

「康平がね、陽介とオレにサッカーやろうぜって誘《さそ》ってきたんだ。でも、オレたちは徒競走のスタートダッシュの練習してたから断《ことわ》ったの。陽介がちょっと見てほしいと言ってたから。そうしたら急に康平がキレだして……」

「そんな練習したって、意味ねえよ! どうせ野田には勝てっこないんだし」

慎吾の言葉をさえぎるようにして、康平が怒鳴《どな》り声《ごえ》をあげた。すぐさま陽介が応戦《おうせん》する。

「そんなのやってみないとわかんねえじゃん。なんで最初からあきらめてんだよ。そんなの康平らしくないじゃんか……」

康平と同じく怒鳴り声をあげるつもりが、最後は涙声《なみだごえ》に変わってしまっていた。

「なに、みんなして熱くなってんの? バッカじゃねえ」

自分の体を押《お》さえつけていた幸二の太い腕《うで》をむりやり振《ふ》りほどくと、康平は捨《す》てゼリフを吐《は》いて走りさっていった。

昼休み終了《しゅうりょう》を告げるチャイムが鳴る。だが、五年三組のメンバーは、ただの一歩も動けず、その場に立ちつくしていた。そのとき、文乃《あやの》がぽつりとつぶやいた。

「でも、あたし見たんだ。塾《じゅく》の帰り、真っ暗な公園で、康平君がずっと、ずっとスタートダッシュの練習をくりかえしてる姿《すがた》……」

〈松浦市立松浦西小学校　春の大運動会〉

白いキャンバスに墨《すみ》で描《か》かれた立派《りっぱ》な文字。一年で最も大きな行事の開催《かいさい》を知らせる立《た》て看板《かんばん》の横を通りすぎ、保護者《ほごしゃ》が続々と校門を通《とお》り抜《ぬ》けていく。開会式が間近に迫《せま》った朝八時半には、校庭をぐるりと取りかこむようにビニールシートが敷《し》かれ、わが子の晴れ姿をビデオカメラに収《おさ》めようと陣取《じんと》り合戦《がっせん》に精《せい》を出す父親の姿も目立ちはじめた。来週には梅雨入《つゆい》りの可能性《かのうせい》もあるなどという天気予報《てんきよほう》が信じられないほどの快晴《かいせい》。この日のために一ヵ月近く練習を重ねてきた子どもたちの舞台《ぶたい》には、うってつけの空模様《そらもよう》だった。

「みんな、いよいよだな」

子どもたちを校庭へと送りだす直前の朝の会。赤尾はゆっくりと教室を見わたすと、「みんな、いい顔をしているな」と思った。全レース制覇《せいは》という無謀《むぼう》とも思える目標に向け、やるべきことはやったという充実感《じゅうじつかん》がどの子の顔にもみなぎっていた。それは、まぎれもなく二十八名全員が〝ナンバーワン〟を目指した証《あかし》だった。

「今日までがんばってきたこと、ぜんぶ出しきってくるんだぞ」

担任《たんにん》の言葉に、最前列の陽介がいち早く反応《はんのう》し、こぶしを突《つ》きあげる。

「みんな、ぜってえ勝つぞ!」

「おお!」

青空の下での開会式が終わると、紅白《こうはく》それぞれの応援団《おうえんだん》による応援合戦に続き、三年生の八十メートル走が始まった。これまでの運動会では「赤がリードしている」「白が逆転《ぎゃくてん》した」と一喜一憂《いっきいちゆう》していた子どもたちも、今年ばかりは視線《しせん》がちがう方角を向いている。紅白のデッドヒートにも無関心ではなかったが、それよりも目前に迫《せま》った「自分の勝負」に気持ちが向かっていることは、彼《かれ》らの表情《ひょうじょう》からもあきらかだった。

「プログラム八番　五年生による百メートル走です」

放送委員によるあどけないアナウンスが流れると、赤尾の近くにいる白組の児童席からも、遠く赤組の児童席からも、「よーし」「行くぞーっ!」という気合のこもった声が聞こえてくる。三組の子どもたちの徒競走にかける思いは、ほかのクラスのそれとはあきらかにちがっていた。

薄《うす》い色つきの和紙でつくられた花びらに飾《かざ》られた入場門。そのうしろに、五年生がレース順に整列していく。三人の担任《たんにん》が相談し、どのレースもだいたい同タイムの子どうしが走ることになっている。最終組だけはいちばん速い子たちの晴《は》れ舞台《ぶたい》となることが暗黙《あんもく》の了解《りょうかい》とされていたが、それ以外はどのレースが〝遅《おそ》い子〟の組なのかわからないよう、ランダムに組まれている。こうした配慮《はいりょ》こそが、紺野の言う「温室栽培《おんしつさいばい》」なのだろうと、赤尾は先輩《せんぱい》教師《きょうし》の言葉を思いだしていた。

音楽とともにスタート位置まで駆《か》け足《あし》で入場していく。第一レースに出場する六人がスタートラインに立ち、そのかたわらで紺野がピストルを構《かま》える。

「位置について、ヨーイ――」

第一レースから、三組の快進撃《かいしんげき》が続いた。途中《とちゅう》でおやつ休憩《きゅうけい》をほしがるほど百メートルという距離《きょり》に不安を抱《いだ》いていた幸二も巨体《きょたい》を揺《ゆ》らし、これまで勉強づけだった文乃も必死に腕《うで》を振《ふ》り、それぞれのレースで見事に一位を獲得《かくとく》した。青柳から「相撲部屋《すもうべや》のようだ」と嫌《いや》味《み》を言われても、自分たちの練習法を信じ、四股《しこ》や股割《またわ》りという見た目以上にきつい練習を地道に重ねてきた成果が、ここで、花開いた。

はじめこそ子どもたちのがんばりに満足そうな笑《え》みを浮《う》かべていた赤尾だったが、レースの中盤《ちゅうばん》まで三組が一位を独占《どくせん》しつづける予想外の展開《てんかい》に、少しずつ、不安を募《つの》らせていった。ついに第十レースまで進んでも、三組は一レースも取りこぼさない。奇跡《きせき》的な快進撃に、赤尾はたまらずスタート位置まで車いすを走らせた。

(まずい……ほんとうにまずいぞ)

全十四レース制覇《せいは》。そんな途方《とほう》もない目標にあと少しで手が届《とど》こうかというところまでお膳立《ぜんだ》てされた状態《じょうたい》で、最終レースを走る康平と陽介にかかるプレッシャーは――。そのことを考えると、赤尾はいても立ってもいられなかった。

「康平、陽介、ちょっと来い」

レース直前に担任《たんにん》から名前を呼《よ》ばれ、ふしぎそうな顔で振《ふ》りかえったふたりは、赤尾の短い腕《うで》が手招《てまね》きするままに顔を近づけた。

「ふたりとも、フライングって知ってるか？」

「えっ、先生、何言ってんの？」

「ピストルの音の前に飛びでちゃうルール違反《いはん》のことでしょ？」

大マジメな顔で、赤尾は続けた。

「ふつうはみんなフライングになることをおそれて、ピストルの音を聞いてからスタートする。でも、それじゃ野田には勝てない。いいか、紺野先生が『ヨーイ……』と言ったら、自分でピストルのタイミングを予想して前に出るんだ。もし、それが早すぎてフライングになっても、一回までは許《ゆる》されるから。いいな、ピストルの音を聞く前に出るんだぞ」

ふたりはこくりとうなずくと、たがいにじっと目を合わせた。すると、どちらからともなく自然と右腕を前に突《つ》きだし、がつんとこぶしをぶつけあう。それが、校庭での取っ組みあい以来、ふたりがかわしたはじめての〝会話〟だった。

康平と陽介が出走する最終レースを迎《むか》えるまでの全十三レース、五年三組はほんとうにすべてのレースで一位を取りつづけた。三組の子どもたちの期待はいやがうえにも高まるばかりか、この異変《いへん》に気づいたほかのクラスの子どもたちも、紺野も、そして青柳も、最終レースの結果に熱い視線《しせん》を注いだ。

「位置について」

紺野の声に、康平が、陽介が、そしてふたりの前に大きな壁《かべ》として立ちはだかる野田雄也が、スタートラインの前に立った。

「ヨーイ――」

パーンという火薬が破裂《はれつ》する音と同時に、ふたりの少年が勢《いきお》いよく飛びだした。スタートと同時にふたりの背中《せなか》が視界に飛びこんできた雄也の顔に、おどろきの表　情《ひょうじょう》が浮《う》かぶ。

「おい、見ろよ。野田がリードされてるぜ」

これまでの練習では一度もなかった展開《てんかい》に、五年生はクラスの別なく大歓声《だいかんせい》を送った。

必死だった。追うほうも、追われるほうも、あと少しでちぎれてしまうのではないかと思うほどに腕《うで》を振《ふ》り、顔がゆがんで見えるほどに歯を食いしばる。雄也が徐々《じょじょ》に本来のスピードを発揮《はっき》しはじめると、その差は少しずつ縮《ちぢ》まっていった。

「ああーっ」

悲鳴のような歓声が校庭を包む。最後のコーナーで、陽介が、抜《ぬ》かれた。勢いのついた雄也はぐんぐん加速して、すぐ前を走る康平の背中をまさにとらえようとしていた。

「康平、走れ――っ！」

校庭じゅうに響《ひび》きわたるような大声で、車いすの上の赤尾がさけび声をあげる。

康平が、逃《に》げる。雄也が、追う――。ゴール前、ああ、ああ……突《つ》きだした胸《むね》でテープを切ったのは、雄也だった。ほんの、わずかな差だった。

足がもつれるようにしてその場に倒《たお》れこんだ康平を、順位を判定《はんてい》する審判係《しんぱんがかり》の児童が迎《むか》えに行く。だが、康平につぐ三位でゴールした陽介が、軽く左手をあげて制止《せいし》した。尻《しり》もちをついた格好《かっこう》のまま地面に足を投げだした康平は、人目も気にすることなくありったけの声でさけんだ。

「ちくしょー、ちくしょーっ！」

喜怒哀楽《きどあいらく》をあまり表に出すことのない康平がむき出しにした感情《かんじょう》に、クラスメイトは声をつまらせた。京子たち数人の女子は、目を赤くはらし、洟《はな》をすすった。ナンバーワンには、なれなかった。


「みんな、土曜日の運動会はご苦労さまだったな。どうだ、疲《つか》れは取れたか？」

日曜、月曜と連休をはさんだ火曜日。朝の会が始まると、赤尾は晴れやかな顔で子どもたちに語りかけた。

「うーん、まだいまいち。なんとなく、体が重い」

「日曜日なんて、昼過《ひるす》ぎまで寝《ね》ちゃったよ。おかげで『ワンピース』見逃《みのが》した……」

まだ運動会モードが抜《ぬ》けきらない子どもたちを前に、赤尾は三組にとってのハイライトとなった場面を振《ふ》りかえった。

「しっかし、惜《お》しかったよなあ。全十四レースで一等賞。そんなとんでもない目標をあと少しで達成できそうだったけど、やっぱり野田は速かったなあ」

苦笑いを浮《う》かべる担任《たんにん》に、子どもたちはそろって抗議《こうぎ》の声をあげた。

「先生、そんな言い方しないでよ。康平だって、陽介だって、一生懸命《いっしょうけんめい》走ったんだから」

「がんばったけどダメだったんだから仕方ないじゃん！」

だれひとりとして、大金星を逃《のが》したふたりの少年を責《せ》めたてるような子はいなかった。それが、赤尾にはなによりうれしかった。

「先生との約束、覚えてるよね？」

「うん、オレたちが十四レースぜんぶで一位になったら、先生は坊主《ぼうず》になる！」

元気よく答えた慎吾だったが、口にした直後に、「あっ」と口に手を当てて康平と陽介の表情《ひょうじょう》をうかがい、自分の席で小さく縮《ちぢ》こまった。

「そう、慎吾が言ったとおりだ」

赤尾が目配せをすると、白石がいつもの五倍はあろうかというほど大きな太い文字で、黒板にある言葉を書きはじめた。

《結果より□》

「さあ、□のなかには、どんな言葉が入ると思う？」

　赤尾の問いかけに、「気合」「練習」「中身」——いろいろな言葉があげられたが、ついに正解《せいかい》は出てこなかった。赤尾の合図に、ふたたび白石がチョークを手に取る。

「結果より……成長？」

「みんなは『全十四レースで一位』という結果を出すことはできなかったけど、一位になりたいという思いで必死に練習してきた。そうして、ぐんぐん成長していった。じつは、先生がほんとうに求めていたのは、これなんだ。みんなが努力を重ねて、成長する姿《すがた》」

「なんだよ、先生。オレたちのこと、ダマしてたの？」

「ダマしてたわけじゃない。いいか、大人になれば、この言葉は逆《ぎゃく》になる。『ぼく、がんばりました』といくらアピールしたって、結果を出さなければ評価《ひょうか》してもらえない。それが、社会というものなんだ」

「社会ってきびしいんだなあ……」

「そう、きびしいんだよ。でも、みんなはまだ大人ではない。だから、いまは結果ばかりを気にするんじゃなく、努力することでどんどん自分の力を伸《の》ばしていってほしいんだ」

　康平は、まっすぐに赤尾の目を見つめていた。

「今回のみんなは、結果を出すことはできなかった。でも、結果を出そうとがんばることで、見事に成長することができた。だから——」

赤尾は、一度、言葉を切った。

「先生は、坊主《ぼうず》になります！」

悲鳴とも歓声《かんせい》ともつかないどよめきが教室を包む。赤尾が、この日三度目となる合図を送ると、白石が机《つくえ》の引き出しからビニール袋《ぶくろ》に包まれた小さな器具を取りだした。

「うわあ、バリカンだ！」

その袋の中身の正体がわかると、子どもたちのボルテージは最高潮《さいこうちょう》に達した。陽介などは椅子《いす》の上に立ちあがり、何度も両腕《りょううで》を突《つ》きあげて、「すげえ、すげえ」とさけんでいる。

「よし、じゃあ、まずは新聞紙を用意してくれ」

赤尾の指示《しじ》で、習字のときに使う古新聞が床《ゆか》に敷《し》かれ、その上に車いすから降《お》りた赤尾がすわりこむ。さらに余《あま》った新聞で赤尾の体をぐるぐる巻《ま》きにすると、「先生、なんか〝てるてる坊主〟みたい」とからかいの声が飛ぶ。

「じゃあ、出席番号順に一列になってくれ」

先頭にならんだのは、慎吾。おそるおそる白石からバリカンを受けとった慎吾が担任《たんにん》の左側頭部付近にバリカンを当てると、にぶい音とともにばらりと毛のかたまりが落ちた。

「うわあーっ」

慎吾はあわてて京子にバリカンを手渡《てわた》すと、何か悪いことでもしてしまったかのように、そそくさと列の最後尾《さいこうび》についた。

「ええっ、わたしできないよーっ。こんなの使ったことないし……」

そう言いながらも、京子はついさっき慎吾がそり落としたあたりにバリカンを当てると、一気に頭のてっぺんのほうまで刃《は》を進ませた。

「なんだよ、京子。おまえ、『わたし、できなーい』とかこわがってたわりには、ずいぶん豪快《ごうかい》にやってくれるじゃないか」

赤尾の言葉に、どっと笑いが起きる。康平も、陽介も、文乃も、幸二も、公彦も、みんな笑顔《えがお》だった。二十八名全員が〝断髪式《だんぱつしき》〟でその出番を終えると、そり残しの部分を白石がきれいにそりあげていった。

「よーし、これで完成っと」

右から、左から、白石がまあるくなった親友の頭を確認《かくにん》すると、すでに列を崩《くず》して赤尾をぐるりと囲んでいた子どもたちの輪から、ふたたび笑い声が起こった。

「先生、ヘン……。チョー似合《にあ》わない！」

「えー、でも意外に似合ってない？」

赤尾は鏡を持ってこなかったことをはげしく後悔《こうかい》しながら、照れかくしに大きな声を出した。

「ほら、授業《じゅぎょう》やるぞ、授業！　席にもどれ」

時計の針《はり》は、午後四時を回ったところだった。月に一度のペースで開かれる職員会議《しょくいんかいぎ》では、学校運営《うんえい》に関することや特別な配慮《はいりょ》を要する児童の様子などが話し合われることになっていたが、日頃《ひごろ》から息つくヒマもなく動きまわっている教員にとっては、「睡魔《すいま》との戦い」の時間でもあった。とくに毎晩遅《まいばんおそ》くまで残業が続く若手《わかて》教員のなかには、ついつい誘惑《ゆうわく》に負けて舟《ふね》をこいでしまう者が少なくなかった。

「予定されていた議題はこれですべてですが、ほかに何かご意見やご連絡《れんらく》のある先生はいらっしゃいますか？」

司会をつとめる六年生の学年主任《しゅにん》・茶野の声で目を覚ました赤尾は、ぼんやりする視界《しかい》のなかに、右腕《みぎうで》を小さく折りたたみながら挙手する女性《じょせい》 教師《きょうし》の姿《すがた》を見つけた。三年生の学年主任をつとめる黄川田雅美《きかわだまさみ》だった。

「あのお、赤尾先生のその頭は、いったいどうされたんでしょうか。子どもたちから聞いた話では、教室にバリカンを持ちこんで、子どもたちに刈《か》らせたとか……」

まさか自分のことが話題に上るなど想像《そうぞう》もしていなかった。赤尾は、恋人《こいびと》の春菜《はるな》と観覧車《かんらんしゃ》でデートをしていた夢《ゆめ》から、一気に現実《げんじつ》へと引きもどされた。

「赤尾先生、ご回答いただけますか。そのあたりの事情《じじょう》、どうなんです？」

副校長の灰谷《はいたに》が、冷たい視線を向けてくる。赤尾は、短い腕を口のまわりに当ててよだれが垂《た》れていないかを確認《かくにん》すると、あわてて背筋《せすじ》を伸《の》ばした。

「あ、はい……ほんとうです。運動会の百メートル走で、『十四レースすべてで三組が一位になったら坊主《ぼうず》になる』という約束を子どもたちとしていまして……結果は十三レースだったんですが、子どもたちのがんばりを認《みと》めてあげようと、こんな頭になってみました」

最後はちょっぴり茶目っ気ある口調にしてみたが、期待していたほどに空気はなごまず、灰谷などはあきらかにムッとした表情《ひょうじょう》で赤尾をにらみつけていた。しばらく沈黙《ちんもく》が続いたあと、一年生の学年主任《しゅにん》である藤川《ふじかわ》のぞみが手をあげる。教員経験《けいけん》三十年以上を誇《ほこ》るベテラン教師《きょうし》だ。

「子どもたちのがんばりを認めるのは、大事なことだと思います。でも、バリカンで担任《たんにん》の頭を刈《か》らせるというのはどうだったのでしょう。もう少し、ちがった手段《しゅだん》も考えられたのではないでしょうか」

その後も、安全上の問題はなかったのか、保護者《ほごしゃ》からのクレームは考えなかったのかなど集中砲火《しゅうちゅうほうか》を浴びせられ、赤尾は車いすの上で小さな体をますます小さくしていた。

「よろしいでしょうか」

赤尾の目の前ですっと立ちあがったのは、青柳だった。全体がよく見わたせるように体の向きを変えると、青柳は深く上半身を折りまげた。

「申《もう》し訳《わけ》ありません」

赤尾には、目の前で起こっていることの意味がわからなかった。いつも嫌味《いやみ》を言って、新《しん》任教師《にんきょうし》の方針《ほうしん》を真っ向から否定《ひてい》する青柳が、いまは自分のために頭を下げているように見える。まだ、夢《ゆめ》でも見ているのだろうか――。

「その……赤尾先生は、『どうしたら子どもたちのためになるか』を自分なりに考えた結果、今回のような指導《しどう》を選ばれたのだと思います。まだ一年目ですし、その選んだ方法が正しかったとは、わたしも思いません。でも、赤尾先生なりに子どものことを思っての行動だったということを、どうかご理解《りかい》いただけないでしょうか。あとは、学年主任のわたしからよく話をしておきますので」

そう言うと、青柳はふたたび頭を下げた。車いすの上の赤尾も、それにならうようにあわてて頭を下げる。彼女《かのじょ》がプライドの高い人間であることは、職員室《しょくいんしつ》のだれもが知っている。その青柳がこうして頭を下げているのだから、これ以上は何も言うことができなかった。

「では、よろしいですね。青柳先生、あとのご指導はよろしくお願いします」

絶妙《ぜつみょう》のタイミングで校長の黒木《くろき》が助け船を出し、職員会議が終わった。すぐに廊下《ろうか》へと歩きだした学年主任を追って、赤尾も車いすを廊下へとすべらせる。

「先生、青柳先生！　さっきは……ありがとうございました」

自分を呼《よ》びとめる声に振《ふ》りむいた青柳は、気まずそうな顔で口を開いた。

「さっきも言いましたけど、けっしてあなたのやり方を認《みと》めたわけじゃありませんからね。むしろ、ほかの先生がたと同様、バリカンなんてとんでもないと思っています」

「はい、すみません……。でも、どうして——」

「四股《しこ》です」

「えっ？」

「先生の教室をのぞきに行ったら、子どもたちが四股を踏《ふ》んでいたことがあったでしょう。あのときの子どもたちの目、すごくよかった。ああ、やらされているんじゃなく、自分たちの意思でやっているんだなと、あの子たちの目を見て強く感じました」

「ああ、ありがとうございます」

「そのときね、考えちゃったのよ。わたしのクラス、どうだろうって。やらされている顔しか、させてあげられてないんじゃないかって」

　赤尾は、何も言葉を見つけられずにいた。

「それにしても、最終レース、惜《お》しかったわね。できることなら康平君に勝たせてあげたかったけど」

「え、だって野田君は先生のクラスじゃないですか！」

「まあ、そうだけど……先週から、康平君の運動靴《うんどうぐつ》が替《か》わったのは先生もご存《ぞん》じよね？」

「康平の靴、ですか？」

「いやだ、気づいてなかったの？『瞬足《しゅんそく》』という子どもたちにすごく人気のある靴で、はくだけで足が速くなる〝魔法《まほう》のシューズ〟とも呼《よ》ばれているのよ。康平君、先週あたりから、その『瞬足』をはいていたの」

「はい……それが、何か?」

「康平君のおうち、たしか母子家庭だったわよね。それまでの運動靴《うんどうぐつ》がはけなくなったわけでもないのに、新しいものを買ってもらうって、きっとかんたんなことじゃないと思うのよ。彼《かれ》がおねだりしたのか、お母様が彼の異変《いへん》に気づいて買ってあげたのかわからないけど、どちらにしたって、そこには相応《そうおう》の思いがこめられてるだろうなあって」

よそのクラスの児童の家庭環境《かていかんきょう》まで把握《はあく》している情報量《じょうほうりょう》。運動靴の変化まで見逃《みのが》さない観察眼《かんさつがん》。とてもかなわない——。

「学年主任《しゅにん》というのはね、そんなものなのよ」

赤尾の考えを見透《みす》かしたように言うと、青柳はふたたび廊下《ろうか》を歩きだした。赤尾は、その靴音が聞こえなくなるまで、ずっと真新しい坊主頭《ぼうずあたま》を下げつづけていた。

第五章　教授《きょうじゅ》の憂《ゆう》うつ

ねずみ色の空からはこの日も細かい雨粒《あまつぶ》が舞《ま》いおちて、教室の窓《まど》に不規則《ふきそく》な水玉模様《もよう》をつくりだしている。金曜日の五時間目。まもなく一週間が終わろうとしていたが、太陽がぶ厚《あつ》い雲を押《お》しのけて顔をのぞかせた日はただの一度もなかった。いつもはあり余《あま》るエネルギーを元気いっぱい遊ぶことで発散している子どもたちも、梅雨《つゆ》どきとあっては、ぬかるんだ校庭をただうらめしそうに見つめるしかなかった。

「よし、昨日の続きをやっていくぞ。じゃあ、公彦《きみひこ》。四十九ページから読んでくれ」

「ねえ、工藤《くどう》君、工藤君ってば……」

指名されたことにも気づかずに窓の外をぼんやりとながめていた公彦を、となりの席の千《ち》葉《ば》聡子《さとこ》がひじでつつく。

「え、ああ、はい、すみません……。ええと、『インタビュー名人になろう』」

「おいおい、公彦。それは四十六ページだろ。いま先生が読んでほしいと言ったのは四十九ページ。『漢字の広場』のところだぞ」

ふだんは〝教授《きょうじゅ》〟と呼《よ》ばれるマジメな少年の失態《しったい》に、くすくすと笑い声が起こった。

「どうした、公彦。なんか最近、元気ないような気がするけど……」

「先生、仕方ないよ。教授、いま〝六月病〟だから」

心配は無用といった調子で、陽介《ようすけ》が口を開いた。

「六月病？」

「来週からさ、プールが始まるでしょ。教授はね、プールが大の苦手なの。だから、毎年プールが始まるこの時期になると、教授はいつもこんなふうになっちゃうの」

陽介が口にした「プール」という単語を聞いただけで、公彦は肩《かた》をすくめ、下を向いてうなだれてしまった。そのおびえっぷりにクラスメイトからはふたたび笑い声が起こったが、赤尾《あかお》には公彦の気持ちがよく理解《りかい》できた。小学校時代を振《ふ》りかえると、水泳は恐怖《きょうふ》の時間でしかなかったからだ。

幼稚園《ようちえん》のとき、自宅《じたく》の湯船でおぼれたことがあった。母親がわずかに目を離《はな》した間に湯のなかでバランスを崩《くず》し、もどってきたときには大量の湯を飲みこんでいた。ただでさえ水への恐怖心があるところに、小学校に入学すると、目の前に現《あらわ》れたのは自宅の湯船とは比《くら》べものにならないほど巨大《きょだい》なプール。小さな頃《ころ》から無鉄砲《むてっぽう》な性格《せいかく》だった赤尾でも、さすがに腰《こし》がひけた。

だが、どんな場面でも「みんなといっしょにやる!」と小さな体をフルに動かしてきた負けん気の強さが、最後には赤尾の心をプールへと向かわせた。しかし、両足がない赤尾には、プールのなかに立っていることができない。そのため、担任《たんにん》の教師《きょうし》が抱《かか》えるようにしていっしょに入ってくれたのだが、言ってみればその二本の腕《うで》が命綱《いのちづな》。赤の他人に命をあずけるという恐怖感《きょうふかん》は、満足な体に生まれていれば経験《けいけん》しなくてすむものだった。

高学年のときには水面に浮《う》く練習もした。猛特訓《もうとっくん》の結果、うつぶせの状態《じょうたい》で数十秒間、浮いていることはできるようになった。だが、息つぎのために体の向きをかたむけようとすると、くるりと一回転してしまう。手足を伸《の》ばしてバランスを取ることができないため、水のなかで自分の体をコントロールすることがむずかしいのだ。

「そうか、プールかあ……」

窓《まど》の外に広がる灰色《はいいろ》の空が、窓際《まどぎわ》の席で小さくうずくまる公彦の体を無表情《むひょうじょう》に見つめていた。

「公彦、ちょっとかわいそうだったな」

「うん。だけど、ほんとうの意味でかわいそうな思いをするのは来週からだよ」

しつこい雨が降《ふ》りつづく、学校からの帰り道。こうして松浦川沿《まつうらがわぞ》いの遊歩道を歩きながらその日クラスで起こった出来事について話し合うのは、赤尾と白石《しらいし》の日課となっていた。ふだんから机《つくえ》をならべて仕事をしているのだから、ほかにいくらでも時間はあるのだが、職員《しょくいん》室《しつ》ではほかの先生の目や耳が気になってなかなか本音で話せないこともある。そんな理由から、数年前に整備《せいび》されたばかりのこの美しい遊歩道が、五年三組の〝戦略会議《せんりゃくかいぎ》〟の場として選ばれていた。

「慎《しん》ちゃん、いつもの言葉？」公彦にも言ってあげたの？」

「いつもの言葉？」

「何かトラブルが起こったりすると、い。『だいじょうぶ、だいじょうぶだから』って」

「ああ……」

「あの言葉、子どもたちにはすごく心強く聞こえているみたいだよ。赤尾先生は、どんなときでもぼくたちの味方でいてくれるって」

「そうかあ」

一瞬《いっしゅん》、照れくさそうな顔をしてみせたが、その表情《ひょうじょう》はすぐに曇《くも》っていった。短い左腕《ひだりうで》と体の間にはさみこんだ透明《とうめい》のビニール傘《がさ》を見上げると、水滴《すいてき》がいく筋《すじ》にもなって流れおちてくる。赤尾は、ふうと大きなため息をついた。

「でも、今回は言ってやれなかったんだ……」

「どうして？」

「どうして……って、そんなの考えればわかるだろ。水泳だよ？　プールだよ？　いったい、オレに何ができるって言うんだよ！」

何気ない問いに感情《かんじょう》を乱《みだ》し、言葉を荒《あら》らげるその姿《すがた》に、プールでの記憶《きおく》がよほどのトラウマとなって親友を苦しめているのだということに、白石はいまさらながら気づかされた。

「慎ちゃん、ごめん……」

「いや、オレのほうこそ」

ふたりがともに口をつぐむと、電動車いすのモーター音だけが、夜の松浦川に響《ひび》いた。無言のまま、川沿《かわぞ》いを数十メートル進む。先に口を開いたのは、赤尾だった。

「そりゃあ、オレだって考えたよ。どうやったら、公彦のこと助けてあげられるのかって。でも、やっぱりオレには泳ぎを教えてやることなんてできないし、そんなオレがさ、気やすく『がんばれよ！』なんて声をかけるのも何かちがうというか、白々しいと思うし……。正直、わからないんだよ。どうしたらいいのか。あいつのために何ができるのか。だから、今回ばかりは、あいつに『だいじょうぶだよ』って言ってやれなかった」

赤尾は無力感に押《お》しつぶされそうな心を、親友の言葉で救ってほしかった。だが、白石はただ黙《だま》って聞いている。その沈黙《ちんもく》が赤尾にはつらくて、さらに言葉を重ねた。

「優作《ゆうさく》さあ、泳ぎ得意だったじゃん。幼稚園《ようちえん》の頃《ころ》からスイミングスクールに通ってたし、球技《きゅうぎ》とか走るのとかはイマイチだったけど、水泳だけはクラスでも一位、二位。いいんじゃん、優作が教えれば。公彦もよろこぶだろうしさ」

白石はほとんど表情《ひょうじょう》を変えることなく、ただ事務的《じむてき》に答えを返した。

「うーん、どうだろう。ぼくは、あくまでも〝赤尾先生の〟介助員《かいじょいん》という立場。やっぱり、それはちがうんじゃないかなあ」

「そうか？　うん、そうだよな……。介助員が水泳の指導《しどう》にあたるなんて、やっぱりおかしいよな」

赤尾の乾《かわ》いた笑い声が、六月の湿《しめ》った空気にかき消された。白石は何を答えるわけでもなく、ただ月も星も見えない夜空を見上げた。それを見て、赤尾も顔を上げる。空から舞《ま》いおちる霧雨《きりさめ》の粒《つぶ》が、ふたりのほおを濡《ぬ》らしつづけた。


「赤尾先生、ちょっとよろしいですか？」

いつものことながら、学年主任《しゅにん》の青柳《あおやぎ》に声をかけられると急に心拍数《しんぱくすう》が上がっていく。だが、この日は翌々日《よくよくじつ》から始まる水泳指導についての学年打ち合わせだと聞かされ、ほっと胸《むね》をなでおろし、白石とともに教育相談室に向かった。職員室《しょくいんしつ》の向かいにある、「在室《ざいしつ》」と書かれた札が下がっている部屋の扉《とびら》を開けると、すでにパイプ椅子《いす》に腰《こし》を下ろして、「おう、お疲《つか》れさん」と軽く手をあげる紺野《こんの》の姿《すがた》が見えた。数分後にいくつかのファイルを抱《かか》えて入ってきた青柳は、扉にいちばん近い席に腰を落ちつかせた。

「では、始めましょうか」

「はい、よろしくお願いします」

一年生を迎《むか》える会、運動会、そして水泳指導《しどう》。教員一年目の赤尾にとっては、すべてがはじめての体験だった。子どもの頃《ころ》にはただなんとなく参加していた行事でも、その裏側《うらがわ》では教師《きょうし》たちがこんなにも膨大《ぼうだい》な時間と労力をかけて打ち合わせを行い、準備《じゅんび》を進めていたのだということに、赤尾は大きなおどろきを覚えていた。

壁《かべ》にかかった円盤形《えんばんがた》の時計にちらりと目をやると、青柳が話を始めた。

「水泳指導について、まずはじめに決めなければならないのは役割分担《やくわりぶんたん》ですね。子どもたちに指示《しじ》を出して、授業《じゅぎょう》を進行する全体指導が一名、プールの中にいて子どもたちを見るのが一名、それからプールの外にいて異状《いじょう》がないかを見守る監視《かんし》が一名、という三人体制《たいせい》でいかがでしょう」

「それでいきましょう」

すかさず紺野がうなずく。

「それに、外部指導員の方が二名ついてくださるそうなので、そのおふたりにもプールに入っていただきましょう。だから、最低でもプール内には大人が三人。ぜんぶで六コースありますから、ひとりが二コースずつ見るという感じでいかがですか？」

「いいと思います」

青柳が提案《ていあん》し、紺野が賛同《さんどう》する。打ち合わせがスピーディーに進んでいくぶん、赤尾はついていくのに必死だった。

「では、とりあえずあさってはわたしが全体指導《しどう》を担当《たんとう》しますから、紺野先生はプール内でのご指導をお願いします。赤尾先生は監視《かんし》ということで、何か異変《いへん》があればすぐにわたしまで知らせるようにしてください。二回目以降《いこう》は、ローテーションで回していきましょう」

「あ、でも……」

はじめて、紺野が異《い》を唱えた。

「赤尾先生は、まあ経験《けいけん》という意味でも、それから体のことを考えても、やはり全体指導はむずかしいのかなあと思いますし、プール内での指導となるともっときびしいですよね。ですから、役割《やくわり》を交替《こうたい》するのはぼくと青柳先生だけで、赤尾先生には毎回監視をお願いするということでいかがでしょうか」

「それもそうね。じゃあ、そうしましょう。赤尾先生、それでいいかしら?」

「あ、はい。もちろんです」

そのほかにも、水温と気温の測定《そくてい》や、プール内の塩素濃度《えんそのうど》の確認《かくにん》など、水泳指導にあたっては「泳ぎを教える」こと以外にもさまざまな仕事があった。だが、手足のない赤尾には、どれも担当することがむずかしい。結局は青柳と紺野のふたりが分担してくれることとなった。

「なんだか、スミマセン……。先生がたの負担《ふたん》を増《ふ》やしてしまって。ほかに、何かぼくでもできそうなことはないですかね？」

「んー、じゃあ、ＡＥＤ《エーイーディー》をお願いしてもいいかしら」

「ＡＥＤ？」

「ほら、心臓麻痺《しんぞうまひ》とかになったときに電気ショックを与《あた》える機器があるでしょう。最近、毎回それをプールまで持ってかなきゃいけなくなったのよ。万が一に備《そな》えて。ふだんは事務室《じむしつ》の前のケースに入っているはずだから、それをお願いしてもいい？」

「あ、はい。わかりました」

赤尾の返事を聞くと、紺野は持っていたノートの表紙をポーンと軽く叩《たた》き、立ち上がった。

「よし。じゃあ、あさってからよろしくお願いします！」

「あ、こちらこそ、どうぞよろしくお願いします」

赤尾は車いすの上で、少しだけ髪《かみ》の毛《け》が伸《の》びはじめた頭を深く下げた。

「先生、今日プールやるの？」

赤尾が教室に入るなり、慎吾《しんご》が心配そうに質問《しつもん》してきた。ムリもない。窓《まど》の外はいまにも降《ふ》りだしそうな重たい空で、薄手《うすで》の上着がなければ肌寒《はだざむ》さを感じるほど。だが、子どもたちの表情《ひょうじょう》を見れば、それでもプールに入りたいのだとすぐにわかる。

「うん、いまのところ入る予定だ」

教室のあちこちから歓声《かんせい》があがる。ただ、窓際《まどぎわ》にすわる公彦だけは、担任《たんにん》の答えに小さくため息をつき、肩《かた》を落としていた。

三時間目。待ちきれずに中休みのうちから着替《きが》えはじめていた子どもたちは、チャイムが鳴ってまもなくすると、もうプールサイドに整列していた。しかし一年ぶりのプールを目の前にした興奮《こうふん》から話し声がやまず、指導《しどう》のために中央に立った青柳がにらみをきかせても、なかなかおしゃべりは止まらなかった。

「いい加減《かげん》にしなさい！」

ふだんは落ちついた雰囲気《ふんいき》で指導を進める青柳がめずらしく声を荒《あら》らげると、プールサイドは、水を打ったように静まり返った。プールの左側にならぶ女子の列、右側にならぶ男子の列。その両方をゆっくり見わたしてから、青柳はふたたび口を開いた。

「プールの時間、先生たちは、いつもよりきびしくなります。理由はわかりますね。プールでの授業《じゅぎょう》は、教室での勉強以上に危険《きけん》が伴《ともな》うからです。ふざけていれば、怪我《けが》をします。怪我だけならまだいいですが、命を落とすことだってあります。もう十年以上前ですが、この松浦市でも、水泳の授業中に命を落とした子がいました。みんなと同じ五年生です。先生たちは、二度とそんな悲しい事故《じこ》を起こしたくありません。プールでの授業は楽しくて、つい舞《ま》いあがってしまうのはわかりますが、いつも以上に真剣《しんけん》に取り組んでください」

学年主任《しゅにん》の話に、子どもたちの背筋《せすじ》が伸《の》びる。

「それでは、バディを確認《かくにん》したいと思います。ペアを組んでください」

青柳の指示《しじ》に、となりの子どうしが手をつなぐ。水泳の授業《じゅぎょう》では、子どもたちが事故《じこ》に遭《あ》っていないかすぐ確認できるよう、つねに「バディ」と呼《よ》ばれるペアを組ませ、安全管理を行っていた。

「バディーッ！」

青柳が大声でさけぶと、最前列のペアから順に、「イチッ！　ニッ！」と力強いさけび声をあげながら、つないだ手を高く掲《かか》げていく。最後尾《さいこうび》までバディ確認が終わると、子どもたちは勢《いきお》いの強いシャワーに打たれに行った。

「寒い、寒い、寒い……」

「先生、あのシャワーは地獄《じごく》だよぉ」

体じゅうからしずくを滴《したた》らせ、両腕《りょううで》を組んでがたがたふるえながら赤尾の前を通りすぎていく子どもたち。朝より気温が上がってきたとはいえ、冷たいシャワーを浴びた裸体《らたい》をさらすには、さすがにかわいそうな気候だった。

ふたたび整列した子どもたちは、青柳の合図でそろりと足からプールへと入っていく。そして、水のかけっこや水中ジャンケンなど、水に慣《な》れるための運動が始まった。

「はーい、ではつぎに笛が鳴ったら、両手を頭の上にのせて、息が続くまでもぐってみます。五年生でいちばん長くもぐっていられるのはだれかなあ」

青柳のやわらかな挑発《ちょうはつ》に、陽介や康平《こうへい》など負けん気の強い男子たちは、「ぜってえ負けねえ！」「オレが一位になってやる」と息巻《いきま》いている。

「ピイ――ッ」

笛が鳴ると、いままで水の上に浮《う》かんでいた八十個《こ》近い顔が、一瞬《いっしゅん》にして水面下に沈《しず》んだ。いや、よく見ると、まだひとつだけ顔が残っている。公彦だった。両手を頭の上にのせたまではよかったが、そこからどうにも動くことができず、ただ思いつめたような表情《ひょうじょう》で水面を見つめている。プールが大の苦手な少年は、泳げないだけでなく、顔を水につけることさえできなかったのだ。

「公彦……」

プール全体が見わたせる見学者スペースの近くで監視役《かんしやく》を任《まか》されていた赤尾は、青白い顔で水面を見つめつづける公彦を、ただ遠くから見守ることしかできずにいた。

「うん、うん。いよいよプールが始まったんだね」

受話器の向こうからは、春菜《はるな》のやさしい声が聞こえてくる。どんなに疲《つか》れていても、こうして眠《ねむ》りにつく前に春菜の声を聞くと、じわりと体力が回復《かいふく》してくるような気がする。赤尾は、気がつくとプールにおびえる公彦の様子を話していた。

「そっかあ。でも、そんなに恐怖心《きょうふしん》があるんじゃ、本人もつらいだろうね」

「そうなんだよ。オレも小学生の頃《ころ》はプールに入るのがすっごくこわかったから、気持ちはわからないでもないんだよなあ」

「それで、慎ちゃんはその子にどんな言葉をかけてあげたの？」

「いや、とくに何も……」

「え、何も？」

ふたりの間に、しばしの沈黙《ちんもく》が訪《おとず》れた。赤尾は、あわてて弁明《べんめい》の言葉をつないだ。

「いや、オレだっていろいろ考えたよ。でも、ほかの先生みたいにプールに入って指導《しどう》してやれるわけでもないオレみたいな教師《きょうし》が、いくら何を言ったってウソっぽいというか、白々しいというか……。結局、どんな言葉をかけてやればいいのか、わからなくって」

春菜も、幼稚園《ようちえん》で教員をつとめている。もし、彼女《かのじょ》が同じ立場だったら——。自分よりももう少しマシな答えが導《みちび》きだせるんじゃないか。そんな気がした。

「うん、仕方ないよね。慎ちゃんは、ほんとうに精《せい》いっぱいやってると思うよ、クラスの子どもたちのために。それなのに、ちっとも力になってあげられなくてごめんね」

「そんなことないよ！　春菜がこうして心配してくれてるんだって思えるだけで、すごく頼《たの》もしく感じるし、また明日からがんばろうっていう気になるもん」

赤尾はベッドから身を起こし、その存在《そんざい》に助けられていることを必死に伝えようとした。

「慎ちゃん」

「ん？」

「いま思ったんだけどね、きっと、その子も同じじゃないかな。慎ちゃんが心配している、応援《おうえん》しているっていう気持ちを伝えるだけでも、その子はきっと力強く感じるし、安心するんじゃないかなあ」

「ああ……うん」

「ごめんね、へんなこと言っちゃって。おやすみ」

「いや、ありがとう。おやすみ……」

翌日《よくじつ》、赤尾は出勤《しゅっきん》してきた紺野を捕《つか》まえると、「三分ください」と言って、教育相談室に連れこんだ。

「なんだ、なんだ。いったい、どうしたんだよ」

「いや、じつはうちのクラスにいる工藤のことなんですけど……」

「おお、教授《きょうじゅ》な。あいつがどうかしたか？」

「プールが苦手だというのは聞いてたんですけど、それが想像《そうぞう》以上で……」

前回の授業で顔さえつけられなかった公彦の様子について説明し、そうした子にどんなアドバイスを送ったらいいのかを質問《しつもん》した。

「うーん、むずかしいなあ」

紺野は立ったまま腕組《うでぐ》みをし、考えをめぐらせていた。

「学校ってさ、勉強にしても運動にしても、いろいろなレベルの子がいるだろ。だから、『個々《ここ》の実態《じったい》に合わせる』とは言っても、実際《じっさい》はどうしたって平均的《へいきんてき》な層《そう》に向けた授業《じゅぎょう》になるよな。一対三十とかでやってるんだから。そうすると、飛びぬけてできる子や、飛びぬけてできない子には、なかなか対応《たいおう》しづらい。今回で言えば、工藤がそうだよな」

「はあ」

「となると、その子をある程度《ていど》のレベルまで引きあげるには、家庭の協力が不可欠《ふかけつ》になってくる。ほら、勉強でも算数の苦手な子には家の人に九九の暗唱を聞いてもらったりするだろ。それといっしょだよ」

紺野のアドバイスは、いつも的確《てきかく》で、しかもわかりやすかった。

「それで、具体的にはどんな協力をお願いしたらいいんでしょう?」

「まだ顔もつけられないというんだったら、まずはお風呂《ふろ》での『息止め競争』かな」

水に恐怖心《きょうふしん》がある子は、まず目をつけるのがこわい。だから、目から上は出した状態《じょうたい》で、口と鼻だけを湯に入れる。その状態で、父親や母親とどちらが長く息が続くかの競争をするのだという。

「それに慣《な》れてきたら、目をつぶった状態《じょうたい》で顔をつける。それができるようになったら、今度は目を開けて。そうやって少しずつステップアップしていくというのが現実的《げんじつてき》じゃないかなあ」

「なるほど。それ、なかなかいいですね！」

「まあ、五年生にもなればお母さんとお風呂《ふろ》ってこともないだろうから、お父さんに頼《たの》めればベストだろうな」

「お父さん、たしか大学で先生やってるはずです」

「そうか、じゃあお願いしてみたらどうだ？」

紺野によく礼を言うと、赤尾は軽《かろ》やかな操作《そうさ》で教室へと向かった。

その日の休み時間、赤尾は浮《う》かない表 情《ひょうじょう》で窓際《まどぎわ》にたたずんでいた公彦を呼《よ》びだした。

「公彦、おまえ、この夏で泳げるようになっちゃうかもしれないぞ！」

何のことだかわからず、ふしぎそうな表情で担任《たんにん》を見つめる公彦に、赤尾は今朝《けさ》、紺野から聞いたばかりの「息止め競争」について説明した。だが、意外なことに、公彦の顔からはまったくと言っていいほど、希望の輝《かがや》きは見出《みいだ》せなかった。

「どうした、公彦。これなら、顔をつけられるようになりそうな気がしないか？」

「そうですね……でも、お父さん、忙《いそが》しいからなあ」

天候になかなか恵《めぐ》まれず、二回目の水泳授業《じゅぎょう》は六月最終週までずれこんでしまっていた。この日も朝からどんよりとした空模様《そらもよう》だったが、三時間目を迎《むか》える頃《ころ》には薄日《うすび》が射《さ》してきて、二週間もプールから遠ざかっていた子どもたちを大よろこびさせた。

「よし、じゃあ遅《おく》れないように集合するんだぞー」

教室にいる子どもたちに声をかけると、赤尾は白石とともに更衣室《こういしつ》へと向かった。プールに入らないとはいえ、プールサイドにいれば濡《ぬ》れることもある。白石に手伝ってもらい、ひざあたりまで隠《かく》れる紺色《こんいろ》の水着にはき替《か》えると、体育の授業用にとユニクロで買った白いT《ティー》シャツを上に羽織《はお》った。

「はあ、今日もプールかあ……」

「なんで慎ちゃんがため息ついてんの？　公彦じゃあるまいし」

「いやあ、退屈《たいくつ》なんだよね、監視《かんし》って。九十分間、ずっとプールサイドにいて子どもたちが泳いでるのをただぼーっとながめてるんだぜ」

「ぼーっとながめてるんじゃダメだよ。しっかり見てなきゃ！」

「まあ、そうだけどさ。指導《しどう》するわけでもない。体を動かすわけでもない。九十分、何もせずに見ているだけっていうのが、こんなに退屈なものだとは思わなかったよ」

「でも、それが慎ちゃんに与《あた》えられた役割《やくわり》なんだから、しっかりやらないと」

「まあ、そうだよなあ。万が一、何かが起こったら困《こま》るもんなあ」

屋上にあるプールへは階段《かいだん》で上るしか方法がないため、重さ百キロもある電動車いすは三階の階段わきに停《と》めておくしかない。白石に抱《かか》えられてプールサイドへ上がっていくと、すでに子どもたちは整列していて、首から真っ赤な笛をぶらさげた紺野が入念に準備運動《じゅんびうんどう》をしているのが見えた。

この日の全体指導《しどう》を任《まか》された紺野の授業《じゅぎょう》は、さすがに体育を専門《せんもん》にしているだけあって、テンポがよく、メリハリもあり、子どもたちを飽《あ》きさせることなく九十分が進んでいった。それはプールサイドで見ている赤尾にとっても同じことで、紺野の魅力的《みりょくてき》な授業にぐんぐん引きこまれてしまい、自分が監視役《かんしやく》を任されていることをつい忘《わす》れてしまうほどだった。

授業も後半になると、個人《こじん》練習の時間となった。一・二コースはまだ二十五メートルを泳ぐことができない初級者コース。三・四コースは五十メートル前後を泳ぐ中級者コース。そして五・六コースはすでに百メートル以上泳ぐことができ、タイムトライアルに挑戦《ちょうせん》する上級者コース。三つのグループに分かれての練習が始まったが、万が一の事態《じたい》に備《そな》えての監視役である赤尾の目は、自然と泳ぎの苦手な子が集まる一・二コースに注がれる時間が長くなった。

初級者コースに集まったほとんどの子は、ビート板を使って足の使い方を確認《かくにん》したり、息つぎの練習をしたりと、少しでも長い距離《きょり》を泳げるよう練習に励《はげ》んでいる。ただ、公彦だけは一コースのスタート位置に立ちつくしたまま、プールのふちにへばりつくようにして、おびえた顔を見せている。途中《とちゅう》、何度か顔をつけようと下を向いてかがんでみてはいたが、そのたびに金縛《かなしば》りにあったかのように固まってしまっていた。

「こんなとき、紺野が助けてくれたら……」

いつも抜群《ばつぐん》のタイミングで救いの手を差しのべてくれる先輩教師《せんぱいきょうし》は、しかし、学年主任《しゅにん》が決めた役割《やくわり》のとおり、遠く離《はな》れた五・六コースで上級者の指導《しどう》に当たっている。泳ぎの苦手な子が集まる一・二コースにも外部指導員として体育大学の女子大生が割《わ》りあてられていたが、必死にビート板にしがみつく子どもたちの世話にかかりきりで、とても公彦の面倒《めんどう》まで見ている余裕《よゆう》などなさそうだった。結局、この日も公彦は顔を水につけることさえできなかった。

授業《じゅぎょう》が終わると、子どもたちは口々に「給食だあ！」とさけびながら、プールから教室へと向かう階段《かいだん》を駆《か》けおりていく。そんなやんちゃ坊主《ぼうず》たちに、「ほら、走ると危《あぶ》ないぞぉ」と声をかけながら、シャワーを浴び終えた紺野と青柳が管理室へともどってきた。学年主任の青柳は、机《つくえ》の上にあった水色のファイルに目を通し、児童数や水温、塩素濃度《えんそのうど》などに問題がなかったかを確認《かくにん》すると、ふたたびファイルを元の位置にもどそうとした。だが、その手をふと止めると、「あれ……」と言って、あたりを見回した。

「どうかしましたか、青柳先生？」

「赤尾先生、ＡＥＤ《エーイーディー》は……？」

その後、管理室でこっぴどく説教をされたのは言うまでもない。

「今日は何もなかったからよかったものの、もし何か事故《じこ》が起こって、AED《エーイーディー》が必要になったらどうするんですか？　子どもたちの命がかかっているんですよ！」

青柳の言葉はもっともだったが、何もあんな言い方をしなくても——と、赤尾はふくれっ面《つら》で子どもたちの待つ教室へともどっていった。六時間目まで終えて職員室《しょくいんしつ》にもどると、紺野がにやにやしながら近づいてくる。

「相当しぼられたみたいだな」

「もう、しぼられたなんてもんじゃないですよ！　二十代も後半になって、あんなふうに子どもみたいな叱《しか》られ方するとは思ってもみませんでした」

「まあ、今回は仕方ないだろ。完全におまえのミスだからな」

「そうですけど……。でも、たかがAEDを持っていき忘《わす》れたくらいで、あんなに怒《おこ》らなくてもいいじゃないですかねえ。どうせ持ってったって、まず使うことないでしょ」

紺野が、「おい、言いすぎだぞ」という視線《しせん》を送ってきたが、時すでに遅《おそ》し。となりのシマでそのやりとりを聞いていた六年生の学年主任《しゅにん》、茶野徳治《ちゃのとくじ》は勢《いきお》いよく立ちあがると、これまでに見せたことのない怒《いか》りに満ちた表情《ひょうじょう》で、赤尾をにらみつけた。

「たかがＡＥＤ……ですか？」

「いや……あの、ちょっと言いすぎました」

ふだんは〝トクさん〟と慕《した》われるおだやかなベテラン教師《きょうし》が見せるあまりの迫力《はくりょく》に、赤尾の返答は消えいりそうなほど小さな声になった。

「そんな気持ちでいるのなら、いますぐ教師をやめたほうがいい！」

職員室《しょくいんしつ》じゅうに響《ひび》くような大声でそう言《い》い捨《す》てると、茶野は荒々《あらあら》しい足音を立てて出ていった。その場の空気が一瞬《いっしゅん》にして凍《こお》りつき、すべての教職員の手が止まる。

「今晩《こんばん》、空けとけよ……」

両手で顔をおおった紺野が、くぐもった声で赤尾に伝えた。


「ほら、そこ早く取らないと焦《こ》げちゃうよ」

紺野の声にあわててトングをつかんだ白石は、ちょうどいい焼き加減《かげん》を逃《のが》し、まわりが少しめくれあがってきたタン塩を自分の皿に放《ほう》りこむと、レモンをしぼった。急いで口に押《お》しこむと、鉄板の上でふっくらと焼けている一片《いっぺん》を探《さが》しだして、今度はとなりにすわる赤尾の皿に入れてやった。いつもならなじみの焼き鳥屋に足を運ぶところだったが、もともと茶野の行きつけの店。この日ばかりは、二の足を踏《ふ》んだ。

「なんか、今日はすいません……」

自分が任《まか》されていたＡＥＤ《エーイーディー》をすっかり忘《わす》れてしまっただけでなく、その後の軽はずみな発言で茶野を怒《おこ》らせ、職員室《しょくいんしつ》の空気を一変させてしまったことに、赤尾は大きな責任《せきにん》を感じていた。

「それにしても、茶野先生、すごい剣幕《けんまく》でしたね……」

「ああ、ムリもないよ。おまえはトクさんの唯一《ゆいいつ》の〝地雷《じらい》〟を踏《ふ》んじゃったんだから」

新たに鉄板にのせた数枚《すうまい》のタン塩を丹念《たんねん》に裏返《うらがえ》しながら、紺野は答えた。

「地雷……ですか？」

「おまえ、知らなかったっけ。十二年前、うちの市で水泳の授業中《じゅぎょうちゅう》に子どもが亡《な》くなった事故《じこ》のこと」

「ああ、この前の授業で青柳先生が言ってたやつですか」

「そう。そのときの担任《たんにん》、だれだったと思う？」

「え、まさか……」

「トクさんだったんだよ」

赤尾は声を失い、白石はトングをつかんでいたその手を止めた。BGM《ビージーエム》に流れるジャズの音量が、やたら大きくなったように感じられた。

「じつは、オレがこの学校にはじめて来た年、トクさんと同じ学年を担当してたんだよ。ほら、オレってこういうノリだろ。だから、トクさんからすると水泳の授業なんかもチャラチャラやっているように見えるみたいで、すぐに飲みに連れていかれたんだ。そのときに聞いたんだよ、事故《じこ》のこと。トクさん、うっすら涙浮《なみだう》かべながら、『オレみたいになってほしくないんだ』って……」

「どんな、事故《じこ》だったんですか？」

聞くのがこわい気もしたが、聞いておくべきだとも思った。

「五年生の男の子だったんだけどな。プールの深いほうでおぼれているのを、しばらくだれも気づかなかったみたいで。ふだんはそんな泳げない子じゃなかったらしいんだけど、その日は体調でも悪かったんだろうな……」

「茶野先生、べつに悪くないじゃないですか」

「うん。ただな、トクさんが言ってたのは、授業《じゅぎょう》が始まるときにバディの確認《かくにん》を忘《わす》れてしまったらしいんだよ。そのこと、あの人はいまでも後悔《こうかい》してる。『あのときバディの確認をしていたら、ペアを組んでいた子がもっと早く気づいていたかもしれない。その子が死んだのは、確認をおこたった自分のせいだ』って」

「そんな……」

何枚《なんまい》ものタン塩はすっかり焼けこげて、炭のかたまりのようになって鉄板の上に寝転《ねころ》んでいた。

「もう、わかるだろ。トクさんがおまえの言葉にキレた理由」

「はい。もう、何というか……穴《あな》があったら入りたい」

赤尾は、「たかがAED《エーイーディー》」「どうせ使わない」といった発言を心から恥《は》ずかしく思ったのと同時に、茶野が言ったとおり、そんな無責任《むせきにん》な態度《たいど》で子どもたちをあずかるような人間は、いますぐ教師《きょうし》をやめるべきだと痛感《つうかん》した。

「それ以来、トクさんはどんなときでも〝万全を期す〟ことを心に決めてるんだよ。水泳の授業《じゅぎょう》だけじゃない。目の前にいる子どもたちのために、自分はできる最大限《さいだいげん》のことをしているかって、あの人はつねに考えてる。それを気持ちだけじゃなく、ホントに実践《じっせん》しちゃってるところが、トクさんのすごいところだよな」

目の前の子どものために、できる最大限のことをしているか――紺野の言葉に、いや、紺野の口から聞いたベテラン教師の信念に、赤尾はプールにたたずむ公彦の姿《すがた》を思いうかべた。

（オレ、あいつに何もしてやれてないよ……）

赤尾は、プールから、公彦から逃《に》げていたことに、ようやく気づかされた。

七月に入ると、まだ梅雨明《つゆあ》けを迎《むか》えていないとはいえ、これまで空を占拠《せんきょ》していた雨雲を蹴《け》散《ち》らし、ぎらぎらした太陽が顔を出す日も増《ふ》えてきた。中休みに校庭でサッカーをしていた子どもたちは滝《たき》のような汗《あせ》をかきながら教室にもどってくると、「先生、『強』にしてよ、『強』！」と、教室の天井《てんじょう》に設置《せっち》された扇風機《せんぷうき》の風量を最大にするよう、担任《たんにん》をせっついた。

「仕方ないなあ、一分間だけだぞ」

赤尾の合図を受けた白石が風量調節のつまみを最大にすると、天井《てんじょう》から強力な風が送られてくる。

「ひゃあ、生き返るぅー」

それまで下じきでバタバタとあおいでいた子どもたちが、いっせいに上を向いてうっとりとした表情《ひょうじょう》を見せる。全員が席についたのを確認《かくにん》すると、赤尾は真顔になって話を始めた。

「これだけ暑くなってくると、もうプールのとき天気の心配をしなくてすむな。どうだ、もうつぎの授業《じゅぎょう》で三回目のプールになるけど、みんな最初に立てた目標、この夏じゅうには達成できそうか？」

任《まか》せとけとばかりに胸《むね》を張《は》る子もいれば、「やばいなあ……」と苦笑いを見せている子もいる。公彦は、窓際《まどぎわ》の席で背中《せなか》を丸め、おどおどした表情を見せていた。赤尾は何人かの子を指名した。

「京子《きょうこ》、どうだ？」

「うん、百メートルまであとちょっとなんだけど、いつも直前で体力が尽《つ》きて、止まっちゃうの。でも、あと何回か練習すればなんとかなると思う」

「おお、すごいな。幸二《こうじ》はどうだ？」

「平泳ぎはやっぱりむずかしいよ。この前も、青柳先生に『足のかき方がちょっとちがう』

って注意されたばっかり」

「そうか、じゃあ、もうちょっと練習しないとな」

赤尾が目で合図を送ると、白石が黒板に大きな字で「チャレンジ」と書いた。その横に、大きな円を描《か》く。赤尾は続けた。

「ここに描いた円は、『いまみんながで きること』。そして――」

赤尾の言葉に合わせて、白石がさっきよりもひと回り大きな円を外側に描く。

「こっちは、『まだみんなができないこと』。みんなが成長していくにつれて、この『できること』の円が少しずつ大きくなっていくのは、わかるよね？」

子どもたちがうなずくのを確認《かくにん》しながら、赤尾は話を進めた。

「でも、ただじっとしていれば、この円が大きくなっていくわけじゃない。いま自分にはできないことを『悔《くや》しい！』と思って、何とかできるようチャレンジする。その気持ちが大事なんだ。自分にはできるはずない――そうやって決めつけて、チャレンジすることから逃《に》げていたんじゃ、この円はいつまでたっても大きくならないんだぞ」

そう言うと、ちらりと公彦のほうへ目をやった。視線《しせん》こそ下に向けていたが、耳だけはしっかりとかたむけている様子だった。

「なあんて、先生、ずいぶんとえらそうなこと言ってみたけど、じつは先生も逃げていた気がするんだ」

担任《たんにん》の口から出た意外な言葉に、思わず公彦も顔を上げた。

「じつは先生、子どもの頃《ころ》からプールが大っ嫌《だいきら》いだった。だから、いまもこうして水泳の授《じゅ》業《ぎょう》が始まっても、先生はただプールサイドで見てるだけ。でもさ、みんながんばっている姿《すがた》を見て、これじゃいけないなって思ったんだよ」

「先生も泳ぐの？」

すかさず、陽介が質問《しつもん》を投げかける。

「ああ。とりあえず、先生もみんなと同じように目標を立てることにした。先生の目標は、ずばり、『五メートル泳ぐ』！」

「ええーっ、五メートル!?」

「手も足もないのに、そんなのムリに決まってるじゃん！」

子どもたちは口々に、歓声《かんせい》やら素直《すなお》な感想やらをもらした。

「そんなのやってみないとわからないだろ。ムリだと思ってやめてしまえば、いつまでも先生の円は大きくならない。だから、先生はチャレンジする！」

最後は目に力をこめ、窓際《まどぎわ》にすわる公彦へと語りかけるようにして、力強く宣言《せんげん》した。だが、子どもたちの前で大見得《おおみえ》を切ってみせる赤尾の姿を、白石は教室のすみから不安そうな表情《ひょうじょう》で見つめていた。

「慎ちゃん、あんなこと言っちゃってだいじょうぶなの？」

六時間目を終えて職員室《しょくいんしつ》にもどるエレベーター。白石は一階のボタンを押《お》すよりも早く、赤尾が子どもたちの前で高らかに宣言《せんげん》した目標について問いただした。

「わかんない」

「わかんないって……そんなムチャクチャな」

「仕方ないだろ。オレだって、こんな体で五メートルも泳げるとは思ってないよ。でも、なんとか公彦を助けてやりたいんだ。チャレンジさせてやりたいんだよ。茶野先生の言葉、聞いただろ。目の前の子どもに、最大限《さいだいげん》のことをしてやれてるかって。オレ、まだあいつに最大限のこと、してやれてないから」

白石は、「また始まった」といったふうにため息をついた。そのため息に、赤尾は苦笑いを浮《う》かべる。

「優作にも、ちょっと手伝ってもらうことになると思うけど」

「わかってる。こうなったら、とことんつきあうよ」

ふたりは午後五時を告げる鐘《かね》の音《ね》を聞くと、屋上にあるプールへと向かった。中学や高校ではすべて見学していたことを考えると、小学校卒業以来、約十五年ぶりとなるプール。もちろん、抵抗《ていこう》がなかったわけではないが、公彦に少しでも勇気を与《あた》えたいという一心でプールへと向かった。

まずは短い足を入れる。ひんやりとした感触《かんしょく》が、赤尾のなかに眠《ねむ》っていた恐怖心《きょうふしん》を呼《よ》びおこす。つぎに白石が赤尾の体を抱《かか》え、腰《こし》の位置まで水中に沈《しず》ませる。風呂《ふろ》につかっているときとはまるでちがう不安なゆらめきが、赤尾の下半身を包みこんだ。

「せーの」

赤尾の合図で、白石が赤尾の体に巻《ま》きつけていた腕《うで》を離《はな》した。一瞬《いっしゅん》のうちに水中の人となった赤尾は、おそるおそる目を開けてみる。ひさしぶりに見る、水の世界。何も音が聞こえない静寂《せいじゃく》は心地《ここち》よくもあり、不気味でもあった。次第《しだい》に息が苦しくなってくる。打ち合わせどおり、赤尾が水中で大きく首を振《ふ》ると、すぐ近くで待ちかまえていた白石の腕が伸《の》びてきて、小さな体を拾いあげる。ふたたび水面の上に顔を出した赤尾は、ぷはぁと大きな口を開けて、新鮮《しんせん》な空気をいっぱいに吸《す》いこんだ。

「どう、慎ちゃん？」

近くにあったタオルで赤尾の顔を拭《ぬぐ》ってやると、白石は水中から帰還《きかん》したばかりの親友に感想を求めた。

「へへへ。正直、やっぱこわいや。でも、あいつらの前であんなふうに言っちゃった手前、やるしかないからな」

「よし、じゃあ、もう一回やってみようか」

ふたりの特訓は、それから日課となっていった。

あと三日で、終業式。五年三組の担任《たんにん》となって、すでに四ヵ月近くが経《た》とうとしていたが、赤尾にはまだこの一学期を振《ふ》りかえる余裕《よゆう》などなかった。いま新任教師《きょうし》の頭にあるのは、一学期最後の水泳の授業《じゅぎょう》で、なんとか五メートルを泳ぎきりたい、ただそれだけだった。

「先生、約束忘《わす》れちゃダメだからね！」

準備運動《じゅんびうんどう》のあとのシャワーを浴びおえ、白い水泳帽《すいえいぼう》をかぶり直しながらもどってきた陽介は、いつもの監視《かんし》位置でじりじりと太陽に焼かれている赤尾に念を押《お》した。この日の朝の会で、全体練習と個人《こじん》練習の間の休憩《きゅうけい》時間に、これまでの特訓の成果を披露《ひろう》すると子どもたちに約束していたのだ。

この二週間の特訓で五メートルを泳ぎきれたことは、じつはまだない。しかし、一学期最後の授業というこの機会を逃《のが》せば、つぎに子どもたち全員がそろうのは二学期となってしまう。赤尾は、自分を信じた。

赤尾にも、子どもたちにとっても、この日の全体練習はやけに速く感じられた。

「はい、それじゃあ全員プールから上がりまーす。五分間の休憩にしますので、寒い人はタオルを巻《ま》いていてもいいことにします」

この日の全体指導《しどう》を担当する紺野のかけ声で、子どもたちはプールサイドへと移動《いどう》していく。いつもなら、「もっと泳いでいたいのに……」と名残惜《なごりお》しそうな顔でプールをあとにする三組の子どもたちも、この日ばかりは待ってましたと言わんばかりにプールサイドへ上がり、体育すわりで〝そのとき〟を待った。

六コースのスタート位置に、赤尾が移動《いどう》する。青柳と紺野にはあらかじめ了承《りょうしょう》を得ていたが、何も知らされていない一組と二組の子どもたちは、いったい何が始まるのだろうといった表情《ひょうじょう》で手足のない三組の担任《たんにん》を見つめている。

「先生、がんばれー！」

「ぜったいに五メートルだよ」

後方にならぶ三組の子どもたちから、熱のこもった声援《せいえん》が飛ぶ。そのなかには、メガホンのように口に手を当てて、大きな声援を送る公彦の姿《すがた》も見えた。

「慎ちゃ……赤尾先生、ファイトーッ！」

水中の五メートルラインあたりで待ちかまえる白石が、ひときわ大きなさけび声をあげた。ようやく何が始まるのかを理解《りかい》しだした一、二組の子どもたちから、自然と手拍子《てびょうし》が起こる。三組の子どもたちがそれに続き、長さ二十五メートルの長方形は、たちまちあたたかな空気に包まれた。

「わあーっ」

子どもたちから、悲鳴にも似《に》たおどろきの声があがる。赤尾の小さな体が、六コースのスタート位置から、突然《とつぜん》、姿《すがた》を消したのだ。そう、赤尾はプールに向かって勢《いきお》いよく飛びこんだのだった。プールの底近くまで沈《しず》みこんだ赤尾の体が、じわりじわりと浮《う》かんでくる。飛びこんだときの勢いを味方に、その体は少しずつ前へと進んでいく。水面近くまで浮上《ふじょう》してきたときには、すでに三メートル付近まで達していた。

「先生、がんばれー！」

「あとちょっと」

赤尾の飛びこむ姿にしばらく言葉を失っていた子どもたちも、赤尾の体が浮上してくるとようやくわれに返り、ふたたび声援《せいえん》を送った。

しかし、ここからの二メートルが長旅だった。極端《きょくたん》に手足が短い赤尾の体では、いくら手足を動かしてみても、大きな推進力《すいしんりょく》は生まれない。短い手足をバタつかせているだけの赤尾の泳ぎは、しかし、子どもたちの心に強く響《ひび》いた。

「セーンセイ、セーンセイ！」

陽介の音頭《おんど》で始まった「センセイコール」は、クラスを超《こ》えた大合唱となり、水のなかでもがきつづける赤尾の体を後押《あとお》しした。

「セーンセイ、セーンセイ！」

「セーンセイ、セーンセイ！」

少しずつ、少しずつ、体が前に進んでいく。だが、同時に、赤尾の肺活量《はいかつりょう》も限界《げんかい》を迎《むか》えようとしていた。息つぎの練習もしてみたのだが、やはり子どもの頃《ころ》と同じでうまくバランスが取れず、いともかんたんに転覆《てんぷく》してしまうのだ。

しかし、その先に、五メートルを示《しめ》す赤いラインが見えてきた。赤尾は息苦しさに耐《た》えながら、必死に短い手足を動かした。

「セーンセイ、セーンセイ！」

「セーンセイ、セーンセイ！」

気づくと、プールの底に引かれた赤いラインは、赤尾の腹《はら》の下にあった。白石がすかさず赤尾の体をすくい上げる。

「赤尾先生、見事に五メートル達成！」

気のきいた紺野のアナウンスに、子どもたちからは最大級の拍手《はくしゅ》がわきおこる。白石と紺野の手を借りてプールサイドに引きあげられた赤尾は、すぐに公彦の姿《すがた》をさがした。あばら骨《ぼね》が浮《う》きでて見えるほどやせた体の少年は、じっと目を閉《と》じ、何度も、何度もうなずいていた。

赤尾が信じがたい快挙《かいきょ》を達成した興奮《こうふん》が冷めやらぬなか、個人《こじん》練習の時間が始まった。赤尾はしばらく肩《かた》で息をしながら、いつもの見学者用スペースのところから子どもたちを見守っている。しかし、その目はどうしても、一コースのところにへばりつくようにして立ちつくす公彦へと向いてしまう。

この日の公彦は、どこか様子がちがった。これまでは水面がわずかに波打っただけでもおびえた表情《ひょうじょう》で顔を背《そむ》けていたのに、この日はきびしい視線《しせん》をじっと水面に向けている。顔を水につけるべく、決死の表情でそうっとかがみこむ。しかし、結局は勇気が出ずに、また元の位置に顔をもどしてしまう。そんなことを何回かくりかえしているうちに――。

「やった！」

パイプ椅子《いす》の上にちょこんとすわっていた赤尾は、思わず身を乗りだした。公彦の顔が、ついに水中をくぐったのだ。一秒ももたずに顔を上げた公彦だったが、その表情にはあきらかに興奮《こうふん》の色が浮《う》かんでいた。いますぐ駆《か》けつけて抱《だ》きしめてやりたい衝動《しょうどう》に駆られたが、その思いを行動に移《うつ》すより早く、公彦はふたたびかがみこんで、水中に顔を沈《しず》ませた。

「一、二、三……」

無意識《むいしき》に始まった赤尾のカウントは、公彦の勇気が三秒間も続いたことを示《しめ》している。その後も、公彦は何度も、何度もチャレンジを続けた。水中に顔を沈めていられる時間は次第《しだい》に長くなっていき、五回目のチャレンジでは十秒近くも顔をつけていられるようになった。

「公彦、ちょっと休んだら――」

赤尾が声をかけようとした、まさに、そのときだった。六回目のチャレンジとばかりに勢《いきお》いよく顔をつけた公彦は、そのままプールの底を踏《ふ》みしめていた両足を水中に投げだし、大の字になって水面に浮《う》いてみせた。だが、つい数分前までは顔をつけることさえできなかった公彦にとって、まだつぎのステップに進むのは早すぎた。どのようにして元の体勢《たいせい》にもどったらよいのかわからずに水中でまごついているうちに息が苦しくなってきたのか、不自然に手足をバタつかせている。

「優作！」

赤尾が振《ふ》りむくよりも早く、介助員《かいじょいん》としてうしろに控《ひか》えていた白石が着ていたT《ティー》シャツを脱《ぬ》ぎすて、プールへと走りだす。ドボンと音を立てて足から飛びこむと、落ちついて公彦のもとへと近づいていき、その小柄《こがら》な体に二本の腕《うで》をからませた。

「はあ、はあ……」

息はある。だが、大量の水を飲みこんだようで、白石の腕にその身をゆだねるようにぐったりとしている。

「公彦、公彦、聞こえるか！」

パイプ椅子《いす》から飛びおり、あわてて公彦のもとへ駆《か》けつけた赤尾が顔を近づけ、大きな声でその名を呼《よ》ぶ。小柄な少年は、目をつぶったまま、こくりとうなずいた。

「とりあえず、服を着せて保健室《ほけんしつ》に連れていこう」

五・六コースで上級者の指導《しどう》を担当《たんとう》していた紺野が、上からのぞきこむようにして指示《しじ》を出す。子どもたちは、不安そうな表情《ひょうじょう》で白石に担《かつ》がれていく公彦の姿《すがた》を見送っていた。

給食も終わり、掃除《そうじ》の時間を迎《むか》えた昼下がり。保健室《ほけんしつ》の外からは、ほうきを刀がわりにチャンバラをする音が聞こえてくる。

「こらあ、何やってるんだ。まじめにやれえ！」

先生に怒鳴《どな》られてバタバタと走りさっていく足音も、静かな保健室からはよく聞こえた。

公彦は白いタオルケットにくるまれて、よく眠《ねむ》っている。ふだんは小学生らしからぬ理知的な発言でクラスメイトから〝教授《きょうじゅ》〟とも呼《よ》ばれる公彦だったが、こうしてメガネを外した素顔《すがお》をあらためて見ると、まだまだあどけない顔をしている。

「公彦、ごめんな……」

まだ眠っている公彦に対してこの言葉をくりかえすのは、これで五回目だった。「公彦のために」という思いでプールに飛びこみ、五メートルを泳いでみせたが、それは結果として、十歳《さい》の少年をただ追いこんだだけだったのかもしれない――。赤尾の胸《むね》には、そんな思いが渦巻《うずま》いていた。

ぐ――っ。

腹《はら》の虫《むし》が鳴る。となりにいた白石が、心配そうに赤尾の顔をのぞきこんだ。

「慎ちゃん、とりあえず給食食べてきなよ。そのあいだ、ぼくが見てるからさ」

「いや、いいんだ。全然、腹へってないから」

そんなはずはなかったが、赤尾の性格《せいかく》からして、これ以上言ってもムダであることは、白石がいちばんよくわかっていた。

「失礼します……」

保健室《ほけんしつ》の扉《とびら》が細く開いた。なかの様子をうかがっていた白髪《しらが》まじりの男性は、部屋の奥《おく》に自分の息子《むすこ》が寝《ね》かされていることを確認《かくにん》すると、扉を大きく開けてなかに入ってきた。

「公彦の父です。このたびはご迷惑《めいわく》をおかけしまして」

チェック柄《がら》のボタンダウンシャツに、麻《あさ》のジャケット。細い銀縁《ぎんぶち》のメガネをかけた容姿《ようし》は、大学で経済学《けいざいがく》を教えているという話にたがわず、知的なスタイルだった。父・幸彦《ゆきひこ》のうしろには、両手を前で合わせ、申《もう》し訳《わけ》なさそうに小さな歩幅《ほはば》で歩みを進める母・紘子《ひろこ》の姿《すがた》があった。

「公彦君、まだ眠《ねむ》っています」

赤尾は、まず担任《たんにん》としてこのような事態《じたい》になってしまったことを詫《わ》び、あらためてそのときの公彦の様子をできるかぎり詳《くわ》しく伝えた。指先であごひげをさすりながら赤尾の話を聞いていた父の幸彦は、話が最後まで終わると手を下ろし、ゆっくりと口を開いた。

「そこまでがんばらせる必要が、あったのでしょうか?」

意外な言葉に、赤尾も、白石も、面食《めんく》らった。かまわず、幸彦は続けた。

「先生もご存《ぞん》じのとおり、うちの子は運動が得意ではありません。ですが、勉強に関しては、親のわたしが言うのも何ですが、よくがんばっているほうだと思います。赤尾先生、人間はだれしも得意・不得意があってしかるべきなんじゃないでしょうか。うちの子には、すでに得意なことがある。それでも、あえて苦手なことを強制《きょうせい》することに、どんな意味があるんでしょう」

「いや、赤尾はけっして強制したわけでは――」

必死に弁明《べんめい》しようとした白石を振《ふ》りむいて制止すると、赤尾はふたたび向きなおり、深く頭を下げた。

「まことに申《もう》し訳《わけ》ありませんでした」

それまで幸彦のうしろですまなそうな顔をしていた母の紘子が、担任《たんにん》が頭を下げる姿《すがた》に、たまらず口を開いた。

「いえ、先生。そんなあやまらないでください。公彦は、わたしたち夫婦《ふうふ》にとって年がいってからできた子なもので、どうしても大事に、大事にとなってしまって……。この人も悪気があって言っているわけではないんです。どうぞお気になさらないでください」

「おまえは黙《だま》っていなさい」

夫にきびしい顔を向けられても、紘子は話をやめなかった。

「先生には、ほんとうに感謝《かんしゃ》しているんです。あの子、五年生になってからすごく明るくなったというか、学校での話もよくしてくれるようになったんです。今日は桜《さくら》の下で学級会をしたんだとか、今日はみんなで先生を坊主《ぼうず》にしたんだとか。運動会の時期なんかは、『ぼく、ぜったいにかけっこで一番になるんだ』と言って、毎晩《まいばん》、風呂上《ふろあ》がりに四股《しこ》を踏《ふ》んでいたんですよ。あの子が勉強以外のことに対して、あんなふうに目の色を変える姿《すがた》って、いままで見たことがなかった。だから、すごくうれしくって」

幸彦は複雑《ふくざつ》な顔で、妻《つま》の話を聞いていた。

「あ、お父さん、お母さん……」

ベッドのなかから、か細い声が聞こえてきた。

「公彦、目が覚めたか！」

両親がベッドサイドに駆《か》けより、わが子の顔をのぞきこむ。父と母の姿に安心したのか、公彦が弱々しい笑顔《えがお》を返した。さっきまで青白かった顔にも、少し赤みがさしている。

「心配かけちゃって、ごめんなさい」

ひとり息子《むすこ》の健気《けなげ》な言葉に、父はタオルケットのなかにあった公彦の手をにぎりしめた。

「先生……赤尾先生？」

両親のうしろに控《ひか》えていた担任《たんにん》の姿を、公彦の小さな声がさがした。

「おう、公彦。具合はどうだ？」

車いすを紘子のわきまで進めた赤尾は、意識《いしき》して笑顔をつくり、公彦の顔をのぞきこんだ。

「先生、今日はごめんなさい……」

「なに言ってるんだ。よくがんばったじゃないか。今日の公彦、カッコよかったぞ！」

天井《てんじょう》を見つめながらわずかにほほえんだ公彦は、少し考えると、口を開いた。

「お父さん、ひとつお願いがあるんだけど……」

「うん、何だ？」

「ぼく、もっと練習したい。でも、つぎの授業《じゅぎょう》はもう二学期なんだ。だから、夏休みのプールにも参加したい。ね、いいでしょ？」

公彦の意外な頼《たの》みに、幸彦は困惑《こんわく》の表情《ひょうじょう》を浮《う》かべていた。

「でも、おまえ、夏期講習《かきこうしゅう》はどうするんだ？」

「夏期講習なら時間を変えてもらうこともできるでしょ。そうしたら、昼はプールに行けるから。もちろん、プールに行っても勉強は手を抜《ぬ》かない。それは約束するから。お父さん、お願い……」

ふたたび指先であごひげをさすりながら、しばらく考えこんでいた幸彦は、やがて答えを出した。

「ダメだ」

「えっ!?」

その場にいただれもが、幸彦の非情《ひじょう》な答えに耳をうたがった。だが、父の言葉には続きがあった。

「学校のプールに行く必要はない。夏休みはお父さんも大学が休みだから、いっしょに市民プールに行こう。こう見えて、お父さんは水泳得意なんだぞ」

「お父さん！」

公彦が見せた笑顔《えがお》は、もう弱々しいものなどではなかった。紘子は、ハンドバッグから取りだしたレースのハンカチで目頭《めがしら》を押《お》さえている。

「二学期が始まったらスイスイ泳げるようになって、みんなをビックリさせてやろうな」

「うん！」

窓《まど》の外からは、この夏はじめて、セミの鳴き声が聞こえてきた。

第六章　てっぺんまで

「夏休み、先生はどっかへ行ってきたの？　てか、先生、ずいぶん髪《かみ》の毛《け》伸《の》びたね」

真っ黒に日焼けした陽介《ようすけ》が、威勢《いせい》のいい声を響《ひび》かせた。一ヵ月以上もの間、主役たちを失って元気のなかった教室に、子どもたちの明るい笑顔《えがお》がもどってきた。

「それがな、先生、仕事が忙《いそが》しくってどこへも行けなかったんだよ」

「ウソだあ。だって、学校が休みなのに、そんな忙しいわけないじゃん！」

ウソだあ――そう言いたいのは、赤尾《あかお》のほうだった。子どもの頃《ころ》は、「先生って夏休みが長くていいいな」などとのん気なことを思っていたが、とんでもない話だった。職員室《しょくいんしつ》でずっと電話番をつとめながら、各教室で飼《か》っている生き物にえさをやったり、植物に水をやったりする日直。夏休み中のプールに通ってくる子どもたちの指導《しどう》を担当《たんとう》するプール当番。夏休みといえども、学校に行かなければならない日は想像《そうぞう》以上に多くあった。

だが、赤尾がもっとも時間を奪《うば》われたのは、日直でもプール当番でもなく、「初任者研《しょにんしゃけん》修《しゅう》」と呼《よ》ばれる一年目の教員を対象とした研修だった。連日、市内の小中学校に勤務《きんむ》する新人教師《きょうし》が市の教育センターに集められ、朝から晩《ばん》まで講義《こうぎ》を受ける。八月には春菜《はるな》と休みを合わせて旅行の計画を立てていたが、この初任者《しょにんしゃ》研修の一環《いっかん》として行われた二泊《はく》三日の夏合宿と時期が重なり、沖縄《おきなわ》でのバカンスはまたたく間に奥多摩《おくたま》での軟禁《なんきん》合宿へと姿《すがた》を変えてしまった。

同じルーキーとして、似《に》たような悩《なや》みを抱《かか》える仲間と過《す》ごす時間も、悪くはない。だが、学校という閉《と》ざされた社会にいる以上、夏休みくらいは外の世界の空気にふれ、さまざまな分野の人と出会うことで経験《けいけん》の幅《はば》を広げたほうが、よっぽど子どもたちのためになるのではないか——。民間の企業《きぎょう》に五年間勤《つと》め、そのあとで教師となった赤尾は、そんなことを思いながら閉塞的《へいそくてき》な夏休みを過ごしていた。

「みんなは、どんな夏休みを過ごしたのかな?」

担任《たんにん》の問いかけに、教室のあちこちから楽しかった思い出が聞こえてくる。

「福島《ふくしま》のばあちゃんち。川でいっぱい魚釣《つ》ったんだ!」

「わたしは花火大会に行ったの。海からどんどん花火が上がって、すっごくきれいだった」

「父さんが寝《ね》てばっかで、どこも連れてってくれなかった。あ、でも一日だけ東京ドームに野球観《み》に行ったんだ。坂本《さかもと》がチョーでっかいホームラン打ったんだよ」

「うちはいつもと同じでハワイ。でも、今年ははじめてゴルフをやったなあ」

夏休みの様子を聞くだけでも、それぞれの家庭の様子が透《す》けて見えてくる。いつもは青白い顔をしている公彦《きみひこ》も、父親とプールでの特訓を続けたせいか、T《ティー》シャツから浅黒い肌《はだ》をのぞかせていた。

「じゃあ、夏休みの話はそこまで。今日からいよいよ二学期が始まります！」

赤尾は声の調子を変え、子どもたちのスイッチを学校モードに切りかえた。

「みんなもよく知っているように、二学期はいちばん長い学期。そして、いろいろな行事が予定されています。まず最初にあるのは――」

「遠足！」

お調子者の慎吾《しんご》が、いち早くさけんだ。

「そうだね、今月末には高尾山《たかおさん》への遠足があります。みんなで力を合わせて、ひとつひとつの行事をしっかり成功させていこう！」

「おう！」

担任《たんにん》の音頭《おんど》に、とびきりの笑顔《えがお》で応《こた》える子どもたち。だが、赤尾はその光景を複雑《ふくざつ》な気持ちで見つめていた。

（遠足かあ……）

窓《まど》の外に広がる夏の終わりの青空は、車いすに乗った新任教師《きょうし》の心持ちとは、あまりに無関係に澄《す》みわたっていた。

「うーん、どうしましょうかねえ」

職員室《しょくいんしつ》の向かいにある教育相談室には、五年生の担任《たんにん》が集まっていた。九月末に予定されている遠足についての打ち合わせ。子どもたちに配るしおりを作成する係、教育委員会へ提出《ていしゅつ》する書類を作成する係、事前に駅に赴《おもむ》き、団体乗車券《だんたいじょうしゃけん》の予約・購入《こうにゅう》を行う係など、だれがどんな役割《やくわり》を担当するかについてはすぐに決まったが、当日の登山コースについては、なかなか結論《けつろん》が出ずにいた。

東京都心部から電車で一時間。アクセスのよさから、年間を通じて多くの登山客が訪《おとず》れる高尾山には、ぜんぶで七つの登山コースがある。どのコースを選ぶかによって、登山の難易《なんい》度《ど》や目にすることのできる風景が異《こと》なってくるため、登山者はその目的に応《おう》じてコースを選ぶことができる。

「青柳《あおやぎ》先生、やっぱり一号路では物足りないですかねえ」

紺野《こんの》が主張《しゅちょう》する一号路とは、山の中腹《ちゅうふく》にある薬王院《やくおういん》に参拝《さんぱい》するための「表参道コース」とも呼《よ》ばれる登山路で、ケーブルカーを利用して途中《とちゅう》の高尾山駅まで行ってしまえば、あとは比較的《ひかくてき》ゆるやかな傾斜《けいしゃ》が続く。また、ルートのほとんどが石畳《いしだたみ》で舗装《ほそう》されているのも、このコースだけだった。

「そうですねえ。中学年くらいならまだしも、五年生の遠足としてはちょっと物足りなく感じるんじゃないかしら。それに、毎年、五年生は六号路と決まっているのに、今年だけ一号路に変更《へんこう》するというのもねえ」

途中《とちゅう》、びわ滝《たき》という滝を通るために「びわ滝コース」とも呼《よ》ばれる六号路は、傾斜《けいしゃ》こそそれほどきつくないものの、山頂《さんちょう》近くまでずっと沢伝《さわづた》いに登っていくために足元が悪く、またルートの途中には沢のなかにある飛び石を伝っていかなければならない箇所《かしょ》もある。子どもたちにとっては挑《いど》みがいのある最適《さいてき》なコースだが、重さ百キロの電動車いすに乗る赤尾には、不可能《ふかのう》な登山路だと言えた。

「もちろん、例年、五年生が六号路で登っていることはわかっています。でも、『これまでそうだったから』という点に、そこまでこだわる必要はないんじゃないですかね」

「ええ、紺野先生のおっしゃることはわかります。たしかに、『去年までと同じ』であることにこだわる必要はありません。でも、変えるからにはそれなりの理由が必要なんです。いつもは六号路なのに、今年だけ難易度《なんいど》の低い一号路を選ぶ理由――」

食いさがる二組の担任《たんにん》を、学年主任の青柳はあくまでも論理的《ろんりてき》にはねのける。だが、それでも紺野はあきらめなかった。

「理由はあります。それは――」

そこまで言うと、ななめ向かいにすわる赤尾にちらりと目をやった。

「赤尾先生です。例年どおりの六号路では、どうしても車いすの赤尾先生は登山することができません。だけど、傾斜《けいしゃ》もゆるやかで、舗装《ほそう》されている部分の多い一号路なら、赤尾先生の車いすでもなんとか行けると思うんです」

「それはわたしも気になっていました。六号路では、おそらく赤尾先生はむずかしいだろうなと。だけど紺野先生、遠足という行事はいったいだれのためのものですか。主役は子どもたちでしょう。教師《きょうし》というのは、あくまでもそのサポート役だと思うんです。そのサポート役である教師の都合によって子どもたちのルートが変えられるなんて、本末転倒《ほんまつてんとう》だとは思いませんか」

そのとおりかもしれない、と赤尾は思った。

子どもたちといっしょに遠足に行きたい——その思いは、赤尾の胸《むね》にも強くある。だが、青柳の言うとおり、優先《ゆうせん》されるべきは自分の思いなどではなく、子どもたちの思い。そう考えれば、自分は遠足に行くべきではないのかもしれなかった。

「いずれにしても、この問題はわたしたちだけで結論《けつろん》を出せることではないように思います。来週にでも校長先生にお時間を取っていただいて、あらためて相談しましょう」

青柳の言葉に、紺野はパイプ椅子《いす》の上でじっと腕《うで》組みをしたまま考えこんでいた。


「先生、今日の学級会は何するの?」

三時間目が始まるチャイムが鳴り、全員が席につくと、陽介がいつものように質問《しつもん》の声をあげた。赤尾が答えるよりも先に気の早い慎吾が口を開くのも、いつものこと。

「きっと、遠足のときのバスの座席決《ざせきぎ》めをするんだよ！」

「ばーか。今度の遠足は電車で行くんだから、そんなの決めたって仕方ないだろ」

「あ、そうだった……」

陽介にたしなめられ、慎吾が頭をかく。クラスじゅうから笑いが起きた。ふたりのやりとりから、子どもたちの頭はすっかり遠足モードになってしまった。

「でも、いよいよ二週間後だね」

「お天気がいいといいなあ」

「そういえば、しおりってまだ配られてないよね？　先生、しおりまだ？」

文乃《あやの》がするどい指摘《してき》で、担任《たんにん》を困《こま》らせる。しおりを作成するのはパソコンが得意な赤尾の担当となっていたが、どのコースで登山するかが決まっていない以上、まだ印刷にかけるわけにはいかなかった。

「うーん、まだ決まってない部分もあってな。悪いけど、もうちょっと待っててくれ」

担任の不自然なつくり笑いに、まっさきに異変《いへん》を感じとったのは陽介だった。

「先生さあ……遠足、どうするの？」

「ん、どうするって、何が？」

わざとわからないフリをしてみせたが、もう手遅《ておく》れだった。

「今回の遠足って、山登りでしょ？　先生、ムリじゃん……」

陽介の言葉に、ようやく自分たちの担任《たんにん》が車いすであることを思いだした子どもたちが、不安そうな表情《ひょうじょう》で赤尾の顔を見つめる。

「あ、みんな知らないんだっけ？　この車いすには隠《かく》しスイッチがついてて、それを押《お》すと翼《つばさ》が出てきて空飛べるんだぞ！」

少しもおもしろくない冗談《じょうだん》に、だれも笑う子などいなかった。赤尾はひきつった笑顔《えがお》を浮《う》かべたまま、一瞬《いっしゅん》のうちに考えをめぐらせた。結論《けつろん》が出ていない以上、まだ何も話すべきではないのか、それとも——。

「まだ、わからないんだ」

赤尾は、ふと横目をやって白石《しらいし》の表情を確認《かくにん》した。相棒《あいぼう》は「やめておけ」と目で合図していたが、子どもたちの前では正直でありたいという気持ちが、それを上回った。

「みんなが心配してくれているように、先生も車いすで高尾山に登れるのか、正直、わからない。でも、たとえ行けたとしても、担任の先生としてみんなを守ることができるのか、自信がないんだ。それなら、先生は行かないほうがいいんじゃないかとも思ってる」

子どもたちは、じっと黙《だま》って聞いている。

「もちろん、先生だってみんなといっしょに山登りしたいよ。でも、先生の仕事は、みんなが危《あぶ》ない目に遭《あ》わないよう気を配ってあげること。それがきちんとできないなら、代わりにほかの先生に行ってもらうしかないんじゃないかって」

「そんなの、おかしいよ……」

陽介がしぼりだすような声でつぶやいた。

「先生、いつもオレたちに逃《に》げるなって言ってるじゃん。運動会のとき、オレにそのこと教えてくれたの、先生だろ」

ふだんは無口な康平《こうへい》が、ぶっきらぼうに言《い》い捨《す》てる。公彦は、くちびるをぐっとかみしめたまま、下を向いていた。

「詳《くわ》しいことが決まったら、すぐに伝えるから」

気休めにしかならない赤尾の言葉が、秋の陽光が射《さ》しこむ教室に悲しく響《ひび》いた。


「失礼します」

ガラス張《ば》りの扉《とびら》をノックし、深々とお辞儀《じぎ》をして校長室の黒木《くろき》のもとを訪《たず》ねてきたのは、五年三組でクラス委員をつとめる陽介と京子《きょうこ》だった。校長室のなかまで入ってきたのはふたりだけだったが、康平や慎吾をはじめ、何人もの子どもたちが廊下《ろうか》からなかの様子をうかがっている。

「五年三組の沢村《さわむら》君と安藤《あんどう》さんね。いったい、どうしたの？」

濃《こ》いグレーのスーツに身を包んだ黒木はノートパソコンのふたを閉《し》め、ゆっくりと立ちあがった。右手に数枚《すうまい》の紙をにぎりしめた陽介が、黒木の前まで進みでる。いつもは気のきいた冗談《じょうだん》で教室をわかせるムードメーカーも、このときばかりはさすがに緊張《きんちょう》で顔がこわばっていた。

「これ、ぼくたちで書きました。読んでください」

陽介が両手を添《そ》えて黒木に差しだした紙には、子どもの字で書かれた「五年三組　署名《しょめい》」という大きな文字が見える。その題名の下には、二十八名分の氏名とメッセージがずらりとならんでいた。

「署名……何の署名なの？」

受けとった紙に目を通しながら黒木がたずねると、今度は横にいた京子が口を開いた。

「遠足のことです。わたしたちの遠足は、高尾山で登山をすることになっています。だけど、赤尾先生は車いすなので登山ができません。でも、わたしたちはどうしても赤尾先生といっしょに遠足に行きたいんです。その気持ちを、みんなで書いてきました」

黒木が一枚目の紙をめくると、二枚目には「五年生　遠足計画書その一」と書かれた紙が出てきた。行き先は高尾山ではなく、立川《たちかわ》にある昭和《しょうわ》記念公園《きねんこうえん》。そこでグループごとに分かれてオリエンテーリングをする計画が立てられている。

「これ、あなたたちが？」

「はい、みんなで相談して決めました」

陽介が、ちょっぴり誇《ほこ》らしげに胸《むね》を張《は》った。子どもの立てた計画だけに、もちろん粗《あら》はある。だが、それを差しひいても、よくできた計画書だと言えた。さらに続く三枚目《まいめ》には「計画書その二」とあり、バスに乗って鎌倉《かまくら》まで行き、大仏《だいぶつ》など有名な寺社仏閣《じしゃぶっかく》をめぐるコースが組まれていた。

「どうか、赤尾先生といっしょに遠足に行かせてください。お願いします！」

「お願いします！」

京子が深く頭を下げるのを見て、陽介もあわててそれに続いた。ガラス扉《とびら》の向こうでは、廊下《ろうか》にいる子どもたちまで、クラス委員のふたりにならって頭を下げている。黒木はふたたび一枚目の紙を手に取ると、彼《かれ》らの書いたメッセージに目を通した。

「ぜったい、ぜったい、赤尾先生と遠足に行く！　沢村陽介」

「赤尾先生と楽しい思い出をつくりたいです。　安藤京子」

「先生が行かないなら、オレも行きません。　川口《かわぐち》康平」

「知恵をしぼれば、先生もいっしょに行ける方法があると思います。　工藤《くどう》公彦」

「先生といっしょに、おいしいおべんとうが食べたいです。　山部幸二《やまべこうじ》」

「赤尾先生がいないと、五年三組じゃないんです。　中西《なかにし》文乃」

思いのつまった二十八のメッセージが、そこにはあった。

「みんなの気持ちは、よくわかりました」

黒木の言葉に、ふたりは期待と不安が入りまじった表情《ひょうじょう》で顔を上げた。

「だけどね、高尾山へ遠足に行くというのは、もう決まっていることなの。それでも、あなたたちの希望をなんとか生かせないものか、少し考えてみます。時間をくれるかしら」

「はい、よろしくお願いします」

今度は、陽介が先に頭を下げた。それに合わせて、京子が、そしてガラス扉《とびら》の向こうで待っている子どもたちが、そろって深々と頭を下げた。


午後六時半。校長室の窓《まど》の外に広がる校庭はすっかり闇《やみ》に包まれていて、わずか数時間前に子どもたちが駆《か》けまわっていたことなど忘《わす》れてしまうほど、ひっそりと静まりかえっている。こげ茶色が重たく感じられる校長室の壁面《へきめん》には、この学校を見守るように歴代の校長の写真がずらりとならんでいる。高級な茶色い革《かわ》が張《は》られた応接用《おうせつよう》ソファーには、五年生の子どもたちをあずかる青柳、紺野、白石がならんですわり、そのとなりには赤尾が車いすを横づけしていた。向かい側には校長の黒木が腰《こし》かけ、何やら細かい文字がびっしりと書きこまれたノートを手にした副校長の灰谷《はいたに》が腰を下ろした。

「しかし、こんなのよく書いてきましたねえ」

学年主任《しゅにん》をつとめる青柳は、目の前のガラステーブルにならぶ二十八名分の署名《しょめい》と「遠足計画書」に手を伸《の》ばした。あらかじめ話を聞かされていたとはいえ、〝現物《げんぶつ》〟にあらためて目を通すと、子どもたちの思いがストレートに伝わってくる。だが、青柳の口調からは、それが運動会のときの四股《しこ》や股《また》割《わ》りのように、子どもたちによる自発的なものとして好意的に受け止めているのか、それとも苦々しく思っているのか、そこまでは判別《はんべつ》がつかなかった。

「これ書いてるとき、あいつらどんな気持ちだったんだろうなあ。口ごたえとかいうレベルじゃなく、はじめてきちんとした形で大人に意見する。それも、校長先生に。緊張《きんちょう》しただろうけど、ワクワクしただろうなあ」

青柳から三枚《まい》の紙を受けとった紺野は、自分たちで話し合いながらこれらの署名《しょめい》と計画書を準備《じゅんび》していた子どもたちの姿《すがた》を思いうかべ、いかにも愉快《ゆかい》そうな顔でながめていた。

「まず――」

ノートにメモを取る準備をしながら、副校長の灰谷が話し合いの口火を切った。

「すでに教育委員会にも書類を提出《ていしゅつ》してありますし、いまさら行き先を変更《へんこう》というわけにはいきません。そのため、当初の予定どおり六号路で行くのか、あるいは赤尾先生の車いすでも行けるように一号路にするのかといった選択《せんたく》になってくると思うんですが……そのあたり、まずは学年主任《しゅにん》の青柳先生、どうでしょう?」

灰谷の指名を受け、青柳が口を開く。

「わたしは先週の学年会議のときにも話したんですが、やはり遠足の主役は子どもたちであるべきだと思うんです。なので、教師《きょうし》の都合でコースを変えてしまうことにはやっぱり抵抗《ていこう》があるというか、反対です」

灰谷が深くうなずきながら、自分の意見を重ねる。

「そうですよね。昨年までの五年生はずっと六号路を登っていて問題がなかったわけですから、今年からそれを変えるということには、かなり慎重《しんちょう》にならざるをえない。よく〝前例《ぜんれい》主義《しゅぎ》〟などと批判《ひはん》されることもありますが、失敗をなくすためにも、この前例というのは意外と大事なんですよ」

紺野が「やれやれ」という表情《ひょうじょう》で、赤尾と白石のほうへ顔を向ける。灰谷もその視線《しせん》に気づいたのか、今度は紺野が指名された。

「遠足は子どもたちが主役だという青柳先生のお考えには大賛成《だいさんせい》です。だからこそ、その主役である子どもたちの『赤尾先生といっしょに行きたい』という思いを尊重《そんちょう》すべきなのかなあと思うんです。さっきの署名《しょめい》でも、だれかが書いていたでしょう。あ、これだ、これだ。ほら、中西文乃さん。『赤尾先生がいないと、五年三組じゃないんです』って。赤尾先生は、五年三組の担任《たんにん》です。ということは、赤尾先生のいない遠足は、五年生の遠足とは言えないんじゃないでしょうか」

「そんなことはないでしょう。遠足当日、わたしだって体調を崩《くず》して行けなくなることがあるかもしれない。だからと言って、『今日の遠足はナシ』とはならないでしょう。だれかに代わりをお願いして、五年生の遠足として出発することになるわけです」

「まあ、それはそうですけど……」

青柳の発言は、いちいち的を射《い》ていた。

「白石先生は、どうかしら?」

今度は灰谷でなく、校長の黒木が紺野のとなりにすわる丸顔の介助員《かいじょいん》を指名した。

「ぼくですか? ぼくはあれこれと意見できる立場ではないので慎《つつし》みますが、ただ……もし、赤尾先生もいっしょに行けることになったとしたら、そのときは全力でサポートさせてもらいます」

これで、発言していないのは議論《ぎろん》の的となっている張本人《ちょうほんにん》だけとなった。それまでほっぺたの内側を軽くかみながら、ずっとほかの人の意見を聞いていた赤尾は、黒木から発言をうながされると、ぐるぐると頭のなかに渦巻《うずま》いていた自分の考えをなんとかひとつにまとめ、それを言葉としてつないでいった。

「もちろん、子どもたちといっしょに行きたいという気持ちはあります。彼《かれ》らがこんなことをするなんて考えてもみなかったし、その気持ちになんとか応《こた》えてやりたい。だけど、今回の遠足が登山だということを考えると、やっぱりぼくが行けば足手まといになってしまう。だから、行かないほうがいいのかなと、そう思っています……」

それが苦渋《くじゅう》の選択《せんたく》だということは、その場にいただれもがわかっていた。だから、だれもがうかつに口を開けなくなってしまった。

「校長先生、いかがしましょうか?」

しばらく沈黙《ちんもく》が続くと、しびれを切らした灰谷が、最高責任者《さいこうせきにんしゃ》に決を求めた。黒木が、ゆっくりと口を開く。

「赤尾先生?」

「はい」

「もしも、障害《しょうがい》があるのが自分ではなく、自分のクラスの子どもだったら、どうします? 車いすの子は迷惑《めいわく》だから連れていかない。やはり、そういう判断《はんだん》をなさいますか?」

「いえ、しないと思います」

黒木は、深くうなずいた。

「青柳先生は?」

「何とかしていっしょに行ける方法がないか、あらゆる手段《しゅだん》を考えてみます」

「紺野先生は?」

「ぼくがおんぶしてでも連れていきますよ!」

肉体派《にくたいは》の二組担任《たんにん》は、ぶ厚《あつ》い胸板《むないた》を力強く叩《たた》いてみせた。三人の返答に満足そうな笑《え》みを浮《う》かべた黒木は、校長としての最終的な決断を伝えた。

「今年度の五年生遠足は、一号路で行きましょう。それでも、途中《とちゅう》、車いすではきびしい箇《か》所《しょ》があるかもしれない。そのときは、白石先生だけでなく、青柳先生も、紺野先生もサポートをお願いします」

ソファーにならぶ三人が、それぞれにうなずいた。

「そうして支《ささ》えあう姿《すがた》を子どもたちが目にすることで、新たに生まれる教育的効果《こうか》もあるでしょう。先生がた、どうぞよろしくお願いします」

黒木の言葉に全員が頭を下げたが、赤尾だけは体を折りまげるようにして、一段《いちだん》と深く、感謝《かんしゃ》の気持ちを伝えていた。


秋晴れ。京王線《けいおうせん》の高尾山口駅《たかおさんぐちえき》を降《お》りると、澄《す》んだ青と深い緑が見事なコントラストをなして広がっていた。

「先生、昨日まであんなに雨降《ふ》ってたのに、チョーいい天気！　やっぱり、てるてる坊主《ぼうず》のおかげかなあ」

興奮《こうふん》した慎吾が、担任《たんにん》の車いすを追いぬいて駆《か》けだしていく。

「こらあ、慎吾。勝手に行くと、高尾山の天狗《てんぐ》に連れさられるぞー」

赤尾の声に慎吾はその場でぴたりと止まると、気をつけの姿勢《しせい》となった。子どもたちから、大きな笑い声が起きる。

一週間前、赤尾の口から「みんなの署名《しょめい》のおかげで、先生もいっしょに遠足に行けることになりました」と伝えると、教室は大騒《おおさわ》ぎとなった。拍手《はくしゅ》をしたり、ガッツポーズを取ったり、胸《むね》の前で手を合わせ、ぎゅっと目をつぶったり。自分たちの想《おも》いを、勇気をもって行動に移《うつ》した。それが報《むく》われたよろこびを、思い思いの形で表現《ひょうげん》していた。

だが、赤尾は子どもたちに釘《くぎ》をさすことも忘《わす》れなかった。

「日曜日に白石先生といっしょに下見に行ってきたけど、今回行くことになった一号路というコースでも、途中《とちゅう》からはでこぼこ道になるし、急な登り坂もありました。先生の車いす、かなりパワーがあるほうだけど、それでもきびしい道のりになると思う。もし前日に雨なんか降《ふ》って、地面がぬかるんでいたりしたら、タイヤもすべっちゃうだろうし……。だから、みんなにも協力してほしい。今回は白石先生も車いすを押《お》したり、支《ささ》えたりで、なかなかみんなを見る余裕《よゆう》がない。だから、けっしてふざけたりせず、いつも以上に真剣《しんけん》に取り組んでほしいんだ」

その日以来、子どもたちは「先生が少しでも登山しやすいように」と、晴天を祈《いの》りながら、せっせとティッシュペーパーを丸めはじめた。その数は日を追うごとに増《ふ》えていき、遠足前日には百個《こ》近くのてるてる坊主《ぼうず》が、教室の窓《まど》だけでなく、黒板のわきや壁面《へきめん》の掲示《けいじ》スペースなどあらゆる場所につるされて、異様《いよう》な光景をつくりだしていた。願いが通じたのか、子どもたちの頭上にはさわやかな秋の空が広がっている。しかし、前日の大雨の影響《えいきょう》もあって、これから踏《ふ》みしめていく山道の状態《じょうたい》はけっしていいものとは言えなかった。

高尾山口駅を出てしばらく道なりに歩いていくと、ケーブルカーの清滝駅《きよたきえき》が見えてきた。

ていた。

「日本一の急勾配《きゅうこうばい》」を謳《うた》うこのケーブルカーを利用すれば、それだけで一気に山の中腹《ちゅうふく》まで
たどりつくことができる。算数のグラフのように急な斜面《しゃめん》を上っていく鉄製《てっせい》の箱のなかで、
子どもたちは「きゃあきゃあ」とさけび声をあげながら、そのスリルあふれる景観を味わっ
ていた。

「先生、いよいよだね」

ケーブルカーの終点である高尾山駅で降《お》りると、陽介が歩みよってきた。赤尾の車いすの
わきにかがみこむと、両の靴《くつ》ひもをしっかりと結びなおす。引きしめた足元と同様、その心
も引きしめるように「よしっ」とつぶやくと、陽介はゆっくりと立ちあがった。

「先生たちに迷惑《めいわく》かけないように、せめてオレたちはしっかり登らなきゃね」

そう言うと、車いすの背《せ》もたれ部分をポーンと叩《たた》いて、小走りに駆《か》けだしていった。

「おーい、三組集まれえ。こっちに男女二列ずつ」

右手も、左手も、「二列」を示《しめ》すV《ブイ》サインをつくって高く掲《かか》げながら、クラスメイトを整
列させている。頼《たの》もしいリーダーだ。

「慎《しん》ちゃん、やっぱりこのまえ来たときよりも下がぬかるんでいるね。下見のときより、ち
ょっと大変かもしれない。だけど、薬王院のところまでは舗装《ほそう》されているから、なんとかな
ると思うんだ。問題は、ラストの急な坂。あそこは、かなりすべりやすくなってるかもしれ
ないなあ……。とにかく、がんばろう」

白石が差しだした手のひらに、赤尾は短い腕《うで》を突《つ》きだしてパチンと合わせた。

石畳《いしだたみ》におおわれた、ゆるやかな登り坂。その両側には、深い緑色の壁《かべ》がどこまでも続いている。先頭を行くのは、学年主任《しゅにん》の青柳が担任《たんにん》する一組。赤尾たちの三組がそれに続く。しんがりをつとめるのは、紺野率《ひき》いる二組だった。一組、二組、三組という順番にしなかったのは、赤尾のいる三組で何かアクシデントが起こっても、すぐうしろに控《ひか》える紺野がそれをフォローできるように、という青柳の考えからだ。

三組の先頭を行く赤尾と白石は、自然と一組の子どもたちのすぐうしろにつく形になる。一組の最後尾《さいこうび》には、運動会で康平とデッドヒートを繰《く》りひろげた野田雄也《のだゆうや》と、幸二と同じくらい立派《りっぱ》な体格《たいかく》をしている今井道弘《いまいみちひろ》。どちらから話しかけるともなく、四人はいつのまにか会話をしながら緑のなかを進んでいった。

「やっぱり一組って、すごいよな。こういうときでも列が崩《くず》れずに、みんなビシッと歩いてるもん」

まるで軍隊の行軍のように見事な隊列を組んで歩く一組の様子に感心しながら、赤尾は苦笑いを浮《う》かべてうしろを振《ふ》りかえった。そこには、すでに列などとは無縁《むえん》の状態《じょうたい》で、いくつものかたまりをつくりながら歩く三組の子どもたちがいた。

「こらあ、あんまり広がるなあ。ちゃんと二列で歩くんだぞ！」

担任《たんにん》がさけぶ声に、あわてて列を組みなおす子どもたち。その様子を見ながら、雄也が赤尾に向かってつぶやいた。

「でも、いいっすよね。なんか、三組っていつも楽しそう」

「うん、たしかに。オレもそれは思ってた」

大柄《おおがら》な体を揺《ゆ》するようにして歩く道弘も、それに賛同《さんどう》した。

「いやあ、そんなことないだろ。一組だって、いいじゃないか。青柳先生は勉強教えるのとっても上手だし、二組だって、紺野先生がいつもギターを弾《ひ》いてくれて楽しそうだし。先生なんて、何にもできないぞ」

「まあ、そうかもしれないけど、なんか楽しそうなんですよ。いつもクラスがひとつになってるというか、アツい感じがする」

雄也の言葉に、道弘もうなずいた。

「そうそう、なんかみんなで目標に向かってる感じがアツいよな。運動会のときもそうだったし、今回も『みんなで先生を遠足に連れてくんだ』とか言って、校長先生のところに署名《しょめい》持ってったんでしょ。うちのクラス、そういうのないもんな……」

「うん……」

なんだか、気恥《きは》ずかしかった。自分は、何か特別なことができるわけではない。青柳にも、紺野にも、教師《きょうし》として勝《まさ》る点など何ひとつなく、いつも助けられてばかり。それでも、雄也と道弘は五年三組をうらやんでくれている。

　赤尾は、ふたたび自分のクラスを振《ふ》りかえった。さっきからまだ数分とたっていないのにもう列は崩《くず》れていて、それぞれがおしゃべりしたり、見たことのない植物の葉を手に取ってしげしげとながめたり、自由に過《す》ごしている。あいかわらず整然と歩きつづける一組のような規律《きりつ》は、三組にはない。それでも、どの子もいきいきとした表情《ひょうじょう》で、この日の遠足を楽しんでいた。

「きゃっ」

　赤尾がふたたび前を向いて進みだしたそのとき、後方から甲高《かんだか》い悲鳴が飛びこんできた。あわてて振りむくと、数名の女子を中心に小さな円ができている。

「どうした？　何かあったか？」

　白石とともに声のあった場所までもどると、円の中心では京子といつもいっしょにいる三人グループのひとり、栗原《くりはら》さやかが泣きそうな顔で地面にすわりこんでいた。

「どうした、さやか？」

　代わりに答えたのは、さやかの親友、京子だった。

「さやか、あそこの水たまりをよけようとしてジャンプしたんだけど、うまく着地できなくて、足くじいちゃったみたいなの……」

「どうだ、さやか。立てそうか？」

白石が手を引いて起こそうとしたが、さやかは苦悶《くもん》の表情《ひょうじょう》を浮《う》かべるばかりで立ちあがることができない。まもなく、後方の二組が追いついた。

「もうちょっと行けば薬王院だから、とりあえずそこまで背負《せお》っていって、そこの広場で対策《たいさく》を考えよう」

まわりにいた子どもたちから状況《じょうきょう》を聞いた紺野が、的確《てきかく》な指示《しじ》を出す。介助員《かいじょいん》の白石はさやかの前にしゃがみこみ、少女の両腕《りょううで》を自分の肩越《かたご》しに前へと垂《た》らした。

「じゃあ、オレは青柳先生に伝えてくる！」

陽介が、最後まで言いおわらないうちに駆《か》けだしていった。


「どう……歩けそう？」

薬王院の山門前にある石段《いしだん》にすわらされたさやかを、責任者《せきにんしゃ》として最後尾《さいこうび》を歩いていた校長の黒木が心配そうな顔でのぞきこむ。さやかはとなりに腰《こし》かけていた白石の肩を借りてゆっくりと立ちあがり、痛《いた》めた右足をそっと地面につけようとしてみたが、その瞬間《しゅんかん》、苦痛《くつう》に顔をゆがめ、またよろよろと石段にすわりこんでしまった。

「さやか、だいじょうぶ？」

「ムリしちゃダメだよ」

京子らクラスメイトがかける気づかいの言葉にも、少女はただ弱々しい笑顔《えがお》を返すばかり。

「やっぱり、きびしそうねえ……」

さやかの様子に、彼女《かのじょ》が自力で登山を続けることがむずかしいことを悟《さと》った黒木は、各担《たん》任《にん》に集まるよう、目で合図を送った。青柳が、紺野が、そして赤尾と白石が、石段《いしだん》から少し離《はな》れたところに集まり、額《ひたい》を寄《よ》せた。

「やっぱり、おぶっていくしかないんじゃないでしょうか」

紺野の提案《ていあん》に、黒木と青柳がうなずく。赤尾は、白石が何と答えるか、横目でその表情《ひょうじょう》を確認《かくにん》した。

「はい、ぼくもそう思います。ただ……」

白石の話が最後までいかないうちに、紺野が言葉を足した。

「だいじょうぶですよ。ここから頂上《ちょうじょう》まで栗原さんをおぶってさらに下山するなんて、白石先生ひとりではとてもきびしいでしょうから、ぼくも手伝います。代わりばんこでいきましょう」

だが、紺野の頼《たの》もしい申し出を受けても、白石の表情は曇《くも》ったまま。

「いや、そうじゃないんです……」

「そうじゃない？」

「このまえ赤尾先生と下見に来たときも、この薬王院までは楽勝だったんですよ。ただ、ここからは道も悪くなるし、傾斜《けいしゃ》も急になる。とくに昨日の雨の影響《えいきょう》で、今日は足元もぬかるんでいるでしょう。おそらく、下見のときより車いすもスリップしやすいと思うんです。まあ、ぼくひとりでもだいじょうぶだとは思うんですが、念のため紺野先生にもお手伝いいただいたほうがいいのかなあと考えていたもので……」

「つまり、ぼくと白石先生のふたりがかりで、赤尾先生の車いすをうしろから押《お》す、と？」

「うーん、ぜったいにふたり必要というわけではないんですが、そのほうが安全かなと」

車いすに乗る赤尾を除《のぞ》けば、男手は紺野と白石のふたりしかいない。どちらかがさやかを背負《せお》ってしまえば、残るはひとり。白石の考える「万全の状態《じょうたい》」には、どうしても手が足りなかった。

「先生、ぼくたちにやらせてもらえませんか？」

教師《きょうし》たちの沈黙《ちんもく》を破《やぶ》ったのは、少し離《はな》れたところでこれまでの会話を聞いていた陽介だった。横には、康平と幸二がつき従《したが》っている。

「陽介……おまえ、聞いてたのか」

自分の真うしろに立っていた三人の存在《そんざい》に、赤尾はまったく気づいていなかった。赤尾のとなりに立った陽介は、校長の顔をまっすぐに見すえて言った。

「ぼくたちの、責任《せきにん》だと思うから」

「あなたたちの、責任？」

黒木が、言葉の意味を確《たし》かめるように、ゆっくりと聞きかえした。

「はい。ぼくたちが『赤尾先生といっしょに行きたい』と言いだしたから、先生は車いすで登山をすることになって……そのせいで、いま危《あぶ》ない目に遭《あ》おうとしてて。さやかが怪我《けが》しちゃったりとか、昨日が雨だったりとか、想像《そうぞう》してなかったこともあるけど、でも、先生をこうやって連れてきたのはぼくたちの責任《せきにん》だと思うんです」

やさしいほほえみを浮《う》かべながら、黒木はゆっくりと首を横に振《ふ》った。

「だいじょうぶよ。あなたたちのせいなんかじゃない。最終的に、この登山コースで赤尾先生もいっしょに行くと決めたのは、校長先生なんだから」

おだやかになだめられた陽介だが、それでも少年は引きさがらなかった。

「ぼくたちのクラス、ほかのクラスに比《くら》べると『自由だね』って言われます。それは、先生が細かいこと言わないで、ぼくたちを自由にさせてくれてるから」

赤尾は、車いすの上からちらりと青柳に目をやった。陽介が続ける。

「でも、先生はいつもこう言います。『自由には責任がつきものだぞ』って。自分が思ったとおりに行動してもいいけど、その結果には必ず自分で責任を取りなさいって。ぼくたち、みんなで署名《しょめい》を集めて校長先生のところにお願いに行って、その願いを聞いてもらって、すごくうれしかった。だけど、そのせいでこんなことになっちゃったから、責任を取りたいんです。ぼくたちがやっちゃったこと、ちゃんと責任取らなくちゃって」

いつのまにか赤尾のすぐうしろまで来ていた康平も、幸二も、陽介の言葉に深くうなずいた。三人の目には、強い力が宿っている。

「みんなの気持ちは、よくわかりました。先生たちに、ちょっと相談させてちょうだい。その間、石段《いしだん》のところで少し待っていてくれる？」

黒木の言葉に、陽介は軽く礼をして、踵《きびす》を返した。康平と幸二が、それに続く。三人のうしろ姿《すがた》を見送る赤尾の視界《しかい》は、にわかにぼやけていった。

「基本的《きほんてき》には、彼《かれ》らの気持ちを尊重《そんちょう》してあげたいと思っています」

黒木が、意を決した口調で各担任《たんにん》に告げた。

「しかし、だからといって子どもたちに危険《きけん》が及《およ》ぶようなことはさせられません。重さが百キロもある電動車いすをうしろから押《お》させて、万が一のことが起これば、怪我《けが》だけではすまない可能性《かのうせい》もあります。赤尾先生、その車いすはうしろではなく、前や横から引っぱることはできませんか？」

「あ、段差をこえるときに持ちあげてもらうための取っ手が、左右ひとつずつついています」

赤尾の答えに、黒木が深くうなずいた。

「それでいきましょう。まず、紺野先生は、栗原さんをおぶってください。白石先生は、赤尾先生の車いすをうしろから押す役目を。そして、余裕《よゆう》のある子どもたちには、横から車いすを引っぱりあげてもらいましょう」

「よーし!」

紺野が気合を入れるようにして、ポーンと手を打った。赤尾は、ただ「ご迷惑《めいわく》をおかけします」と頭を下げることしかできなかった。


「何かさあ、オレたち、〝助《すけ》さん、格《かく》さん〟みたいじゃない?」

赤尾が乗る電動車いすの左側にぴたりと寄《よ》りそう陽介が、担任《たんにん》をはさんで向こう側にいる相棒《あいぼう》に声をかけた。康平も、楽しそうにそれに反応《はんのう》する。

「あはは、たしかに。じゃあ、赤尾先生が黄門様《こうもんさま》で……白石先生は?」

「うっかり八兵衛《はちべえ》!」

「おいおい、そりゃないだろう……」

陽介と康平のやりとりに、車いすのうしろから情《なさ》けない声が聞こえてくる。薬王院を発《た》って以来、白石は顔を真っ赤にして赤尾の車いすを後方から支《ささ》え、ぬかるみにタイヤを取られそうになる重さ百キロのマシンを力強く押《お》しだしていた。

薬王院までは舗装《ほそう》された道がゆるやかに続いていたが、いまは山肌《やまはだ》がむきだしとなったでこぼこ道。大きな石や枝《えだ》が前輪にからみつきそうになるたび、車いすの左右に取りつけられた黒い鉄製《てっせい》の取っ手をつかみ、陽介と康平がぐいと推進力《すいしんりょく》を加える。ひときわ大きな体格《たいかく》を誇る幸二は、左右のふたりが疲れたときにいつでも交代できるよう、すぐそばを歩いていた。

　慎吾らほかの男子は、「先生たちの負担《ふたん》を少しでも軽くしよう」と、白石や紺野のリュックサックを代わる代わる運んでいった。だったら、わたしたちは——と、京子たちはさやかの荷物を交替《こうたい》で抱《かか》えていく。クラス全員が、「先生とさやかをなんとか頂上《ちょうじょう》まで連れていこう」とひとつになっていた。

　赤尾たちのすぐうしろでは、紺野が額《ひたい》に汗《あせ》を浮《う》かべながら、大きなストライドで一歩一歩踏《ふ》みしめるように山道を登っている。ときおり立ち止まっては、「よいしょ」と背中《せなか》にいるさやかを背負いなおし、ふたたびその長い足を前へ前へと繰《く》りだしていく。厚《あつ》い胸板《むないた》が強調される淡《あわ》いグレーのポロシャツは、汗がしみこんですっかりその色を変えてしまっていた。

「栗原さん、だいじょうぶ？」

　紺野は、背負ったさやかを振《ふ》りかえるようにして、気づかいの言葉をかけた。

「はい……ごめんなさい。紺野先生、担任《たんにん》じゃないのにこんなに迷惑《めいわく》かけちゃって」

　不意に右足首を痛《いた》め、自分では歩くことができなくなってしまった少女の声は、いまにも消えいりそうなほど弱々しいものだった。だが、紺野はつとめて明るい調子で、背後《はいご》のさやかに言葉を返した。

「なに言ってるんだよ。困《こま》っている人がいたら助けてあげる。そんなあたりまえのことの大切さをあらためて先生に教えてくれたのは、三組のみんなだぞ」

「え、あたしたちが？」

「そうだよ。給食のときに牛乳《ぎゅうにゅう》キャップを開けてあげたり、扉《とびら》を開《あ》け閉《し》めしてあげたり。三組はふだんから赤尾先生のお手伝いをしているから、友達のことも自然と助けてあげられる、やさしいクラスになったよね」

「そう、なのかなあ……」

「それに、今回の署名《しょめい》。『赤尾先生といっしょに行かせてください』っていうみんなの気持ち、びっくりしたよ。先生、感動した。そんなみんなの気持ちに、なんとか先生も役に立てないかと思ってたから、迷惑《めいわく》どころかうれしいんだよ！」

「うん……ありがとうございます」

さやかは返事をすると、紺野の胸《むね》の前で交差させた両腕《りょううで》にぎゅっと力をこめた。


「やっべえ、これどうすんだよ……」

紺野たちのすぐ前で、陽介の絶望《ぜつぼう》に打ちひしがれた声が響《ひび》いた。その声にさやかがあわてて視線《しせん》を上げると、そこには切りたつような急な坂が待ちうけていて、赤尾たちの行く手をはばんでいた。

「最大の、難所《なんしょ》だと思う」

車いすを押《お》す手を一度休めた白石が、額《ひたい》の汗《あせ》をぬぐいながらつぶやいた。康平と幸二は、何も言葉を発することなく、その坂を見つめている。

「白石先生、下見のときはこの坂、なんとかなったの?」

陽介が振《ふ》りかえって、車いすの背《せ》もたれに手をかけて立っている白石に問いかけた。

「うん、なんとかね。ただ、そのときは足元が悪いわけじゃなかったからなあ……」

白石の不安げな表《ひょう》情《じょう》に、子どもたちはますます言葉を失った。

「オレ、ここで待ってるよ……」

「えっ?」

突然《とつぜん》の赤尾の言葉に、その場にいた全員が振りむいた。

「これ以上、みんなに迷惑《めいわく》はかけられない。それに危《あぶ》ない目に遭《あ》わせるわけにもいかない。ここまでみんなと来れただけでも、先生は十分にうれしかったから」

「先生……」

「みんなで頂《ちょう》上《じょう》まで行って、お弁当《べんとう》食べておいで。先生、ここで待ってるから。頂上からどんな景色が見えたか、あとで教えてくれよな」

その言葉に、「よしっ」とつぶやいた白石は、突然、その場で屈伸《くっしん》を始めた。両足の曲《ま》げ伸《の》ばしを終えると、今度は手首、足首をぐるぐると回し、さらには首までも回しはじめている。はじめは何をしているのかと呆気《あっけ》に取られていた陽介も、ようやく白石の意図に気づくと、いたずらっぽい笑《え》みを浮《う》かべて、その動きをまねた。康平も、「へへへ」と笑いながら、それに続く。

「おい、みんな何してるんだよ。だから、先生はここで待ってるってば。おい、優作《ゆうさく》！」

右や左を向きながら、赤尾があわてたように大きな声を出す。だが、もうだれも返事をしなかった。

「よし、みんな行くぞ！」

白石のかけ声に、陽介が左側、康平が右側にスタンバイし、それぞれの取っ手をにぎる。

陽介が後方の白石を振《ふ》りかえって、OK《オーケー》の合図を送る。

「慎ちゃん、操作《そうさ》レバーは頼《たの》むよ」

「もう……わかったよ！」

どうにでもなれといったふうに、赤尾が返事をする。白石の「せーの」というかけ声に、赤尾が短い右腕《みぎうで》で思いきり操作レバーを引いた。急発進した車いすは、しかし、その傾斜《けいしゃ》のあまりのキツさに、いつものパワーを発揮《はっき》しきれずにいる。原動力となるべき後輪は、ぬかるんだ地面を完全にはとらえきれずにムダな回転をくりかえしていた。

「ふんっ……んんんっ」

白石が足をななめに伸《の》ばしてつっかえ棒《ぼう》のようになり、車いすをうしろから力いっぱい押《お》していく。その顔は、みるみるうちに真っ赤に染《そ》まっていった。陽介と康平は体を折りまげるようにして前輪のすぐ上あたりにある取っ手をつかみ、前へ前へと引っぱっていく。操作《そうさ》レバーを引きつづけることしかできない赤尾は、自分の体から骨《ほね》や内臓《ないぞう》をすべて取りだして、少しでもその体重を減らしたいとさえ考えていた。

全員が、ベストを尽《つ》くした。それでも重さ百キロの電動車いすは急斜面《きゅうしゃめん》を駆《か》けあがることができず、一進一退《いっしんいったい》の攻防《こうぼう》を繰《く》りひろげている。そのときだった。

「えっ」

急にギアチェンジしたかのようにパワーが増《ま》し、車いすがじりじりと急坂《きゅうはん》を登りはじめた。おどろいた赤尾が振《ふ》りかえると、そこには白石とならんで車いすを押《お》す幸二の姿《すがた》があった。

「先生、もうぼく、見てらんない！」

「幸二……」

万一のことがあってはいけないから、子どもにうしろから押させてはいけない――校長である黒木の言葉が頭をよぎったが、教室ではけっして見ることができない彼《かれ》らの真剣《しんけん》なまなざしに、赤尾は思わず口をつぐんだ。

大柄《おおがら》な少年が戦力として加わった効果《こうか》は絶大《ぜつだい》で、車いすはそれからもじりじりと前進を続け、ついには数分前まで赤尾たちをあざ笑うかのように見下ろしていた急な坂を、最後まで登りきることに成功した。

「よっしゃあ！」

まだ頂上《ちょうじょう》にたどりついたわけでもないというのに、康平は感極《かんきわ》まって雄叫《おたけ》びをあげた。陽介は、大殊勲《だいしゅくん》の幸二のもとに駆《か》けより、ハイタッチをかわしている。歯を食いしばって百キロの車いすを押《お》しつづけた白石は全精力《ぜんせいりょく》を使いはたしてしまったのか、その場にへなへなとすわりこんでしまった。

「あっ！」

座席《ざせき》の上でなかば放心状態《ほうしんじょうたい》となっていた赤尾は、思いだしたようにうしろを振《ふ》りかえった。そこには、さやかを背負《せお》ってこの急坂《きゅうはん》を登りきった紺野が、息を切らして立っていた。リーボックの白いスニーカーは泥《どろ》にまみれて、どこが模様《もよう》だかわからないほどになっている。赤尾が黙《だま》って頭を下げると、紺野は右手でピースサインをつくって、それに応《こた》えた。

「よーし、頂上はもうすぐだ！」

紺野のかけ声に、子どもたちの足は自然と速まった。

急坂を越《こ》えてしばらく行くと、薬王院のあたりからずっと緑のトンネルにおおわれていた赤尾たちの視界《しかい》が、突如《とつじょ》として開けた。見上げると、そこには気持ちのいい青空が広がっている。

「頂上だあ！」

陽介と康平が、競《きそ》うように駆《か》けだしていく。そのうしろを、赤尾がゆっくりと追いかけた。標高五百九十九メートル。その山頂《さんちょう》から子どもたちと見る美しい景色は、下見のときに白石と見たそれとは、まったく別物のように感じられた。

「先生、やったね！」

「やっぱり先生と来れてよかった……」

陽介や康平だけでなく、三組の子どもたちがつぎつぎと赤尾のもとを訪《おとず》れてはその短い右《みぎ》腕《うで》をにぎりしめ、山頂まで達することができたよろこびを分かちあった。

「はい、それじゃあ、どのクラスも男女二列ずつにならんでください」

青柳の指示《しじ》に整列した子どもたちは、注意事項《ちゅういじこう》を受けると、やがて思い思いに散らばっていき、弁当《べんとう》を広げはじめた。だが、三組だけは自然と赤尾を中心にした輪ができ、クラスがひとかたまりになってシートを広げていく。

「それじゃあ、みなさん、準備《じゅんび》はよろしいでしょうか！」

陽介の音頭《おんど》に、子どもたちが急いで水筒《すいとう》を取りだした。

「みんなの協力で、ぶじに赤尾先生との山登りが成功しました。カンパーイ！」

「カンパーイ！」

冷たい麦茶がたっぷりと注がれた水筒のキャップを、二十八人の子どもたちが陽介の声に合わせて、高々と天に掲《かか》げる。それは、「車いすに乗った担任《たんにん》との登山」という、新たな目標に挑《いど》んだ子どもたちの勝利宣言《せんげん》のようにも見えた。

やがて弁当《べんとう》の包みがほどかれると、「やった、玉子焼きが入ってた！」「うわ、オレの嫌《きら》いなプチトマト……」など、にぎやかな声が聞こえてくる。それは、遠足のなかでももっとも楽しい時間のはずだった。ところが——。

「さやか、どうしたの？」

京子がとなりにすわる親友を気づかった。見ると、その目からは涙《なみだ》があふれている。紺野に背負《せお》われてここまでたどりついた少女は、弁当も開けずに、ただ地面を見つめて洟《はな》をすすっていた。

「みんな、ごめんね。迷惑《めいわく》かけちゃって……」

さやかは、痛《いた》めた右足首にそっと手を当てながらつぶやいた。思いがけないアクシデントにより、その足だけでなく、心にまで傷《きず》を負ったクラスメイトに、いったいどんな声をかけたらよいのか。その答えをかんたんには見つけることができず、三組はしばらく言葉を失った。

「迷惑なんかじゃないし」

沈黙《ちんもく》を破《やぶ》ったのは、陽介だった。

「オレさあ、一学期にさやかと黒板係やってたじゃん。だけど、オレ、いつもサッカーやりたいから、チャイムが鳴るとすぐ校庭に飛びだしてっちゃう。黒板消すの忘《わす》れて……。でもさ、さやか、口では文句《もんく》言いながら、いつも消してくれてたでしょ。ありがとな」

「何よ、それ……」

さやかが、目の下を濡《ぬ》らしながら、口をとがらせた。そこに康平が続く。

「オレもさ、よく宿題の計算ドリル忘《わす》れてきちゃうけど、さやか、いつも見せてくれるじゃん。助かってるよ」

「こら、おまえ、いつもそんなことしてんのか！」

「あ、やべ」

担任《たんにん》に叱《しか》られて思わず舌《した》を出す康平に、笑いが起こった。さやかも、くすりと笑った。

「みんな、今日はさやかに恩返《おんがえ》しができてよかったな」

赤尾の言葉に、陽介も、康平も、笑顔《えがお》でうなずいた。

「助け合いって、こういうことを言うんじゃないのかな。だれかが困《こま》っていれば、まわりの友達が手を差しのべる。そのときだけを考えれば、『助ける、助けられる』という一方的な関係になるけど、またちがうタイミングでは、助けた人が助けられ、助けられた人が助ける側になる——。みんなが、だれかの役に立ってるんだよ」

いつのまにか子どもたちは弁当《べんとう》をわきに置き、体育すわりで担任の話を聞いていた。

「今日、さやかが足をくじいたとき、先生は『だいじょうぶだよ』って言ってあげられなかった。今日は、先生も助けられる側だったから。だけど、代わりにみんなが言ってくれたよね。その頼《たの》もしい行動で、さやかにも、先生にも。『だいじょうぶ、いっしょに頂上《ちょうじょう》まで行こう』って。先生、すごくうれしかったよ。みんな、ありがとう」

子どもたちは照れくさそうな笑《え》みを浮《う》かべて、たがいの顔を見合わせた。

「さあ、お弁当《べんとう》食べようか！」

食《く》いしん坊《ぼう》の幸二が、満面の笑みで「待ってました！」と合《あ》いの手を入れると、クラスじゅうに爆笑《ばくしょう》がわき起こった。そこには、ようやく声をあげて笑うさやかの姿《すがた》もあった。

「慎ちゃん、いい遠足になったね」

「うん。まあ、子どもたちに連れてきてもらう担任《たんにん》なんて聞いたことないけどな」

山頂に吹《ふ》きわたる心地《ここち》よい風が、赤尾のほおをそっとなでていった。

第七章「メリークリスマス」

校庭の木々はすっかりその葉を落とし、黒々とした裸《はだか》の幹《みき》は無防備《むぼうび》なままにするどい冬の風にさらされている。ガラスのように透《す》きとおった空には、白いレースのような雲が薄くかかり、午後のおだやかな光に照らされていた。教室のうしろにあるロッカーからは、子どもたちのジャンパーやダウンジャケットの袖《そで》がだらしなく垂《た》れさがっている。

十二月。あと三週間ほどで二学期も終わろうという頃《ころ》、五年三組では陽介《ようすけ》と京子《きょうこ》の司会で学級会が行われていた。

「それじゃあ、今日は終業式の前日に行うクリスマス会について話し合いたいと思います。前回の学級会では、グループに分かれて出し物をやると決まりましたが、今日はそのグループをどうやって決めるかについて話し合いたいと思います」

「何か意見のある人はいませんか？」

京子の問いかけに、慎吾《しんご》がまっさきに手をあげる。

「はい、はい！　好きな人どうしがいいと思います！」

まだ指名されてもいないうちからしゃべりだす慎吾に、教室じゅうから笑いが起こる。そのあまりに子どもらしい意見に、教室のすみから話し合いを見守っていた赤尾《あかお》は釘《くぎ》をさした。

「好きな人どうしが悪いとは言わない。でも、いつものルールはわかってるよね？」

「いやな思い、さみしい思いをする人が出ないようにすること！」

四月から何度も言われている言葉だけに、陽介は即答《そくとう》してみせた。

「ほかにはどうですか？」

京子の声に、今度は文乃《あやの》が手をあげた。

「いまの班《はん》のまま、グループを組んだらどうですか？　そうしたら、給食の時間とかにも相談できるし」

的を射《い》た意見に、何人かから拍手《はくしゅ》が起こる。上ばきの事件《じけん》以来、文乃は学級会でもよく発言するようになっていた。つぎに、教授《きょうじゅ》が続く。

「やっぱり、くじ引きというのが公平でいいんじゃないかな。いままであまり話したことがない人と仲よくなれるという利点もあるし」

いつもどおり筋道《すじみち》の立った意見に、ふたたび拍手が起こる。慎吾の案は、ちょっぴり苦しくなってきた。

「それじゃあ、この三つのなかから――」

陽介が決を取ろうとしたそのとき、「あのお」と、のっそり手をあげる姿《すがた》があった。掃除《そうじ》用具入れに近い最後列の席にすわる、幸二《こうじ》だった。

「ぼくは、慎吾君が言ったように、好きな者どうしがいいと思います。だって、これ、社会科見学とか、国語の新聞づくりじゃないんでしょ。クリスマス会の出し物やるんだから、ふだんから仲のいい人とやったらいいと思うんだけど……」

子どもたちは発言の内容《ないよう》よりも、幸二がみずから手をあげて発言したことに目を丸くした。司会をつとめる陽介が気を取り直し、さっき言いかけた言葉をくりかえす。

「じゃあ、この三つのなかから決めたいと思います！」

いやな思いをする人がいないように――赤尾が出した条件《じょうけん》が頭にちらつくのか、慎吾の提案《ていあん》した「好きな人どうし」という案には、あまり票が集まらなかった。わずかな差で、くじ引きによってグループ分けすることが決まる。

「投票によって、『くじ引きでグループを決める』になりましたが、それでいいですか？」

京子の確認《かくにん》に、ほとんどの子が「いいでーす」と賛同《さんどう》の声をあげたが、幸二だけは「やっぱり、好きな者どうしでやろうよぉ」と駄々《だだ》をこねている。

「そんなこと言ったって、投票で決まったじゃん！」

先ほどからペースを乱《みだ》されて少しイラついていた陽介が、めずらしく声を荒《あら》らげた。

「だってえ……」

その大きな体ほど心は頑丈《がんじょう》にできていない幸二は、いまにも泣きだしそうな顔でうなだれていた。


二時間目の終わりを告げるチャイムが鳴る。

「よーし、じゃあそこまでにしよう。漢字ドリルの自分がいまやっているページを開いて、先生の机《つくえ》に出した人から中休みにしていいぞー」

赤尾の言葉が終わらないうちに、陽介と康平《こうへい》はがたりと音を立てて席を立った。漢字ドリルを片手《かたて》につかんでわれ先にと走りだすと、教卓《きょうたく》の上へ放《ほう》りなげるようにして提出《ていしゅつ》する。

「おーい、サッカー行くぞ!」

康平は教室のうしろの棚《たな》にあったオレンジ色のよく弾《はず》むボールを両手でつかむと、大声で仲間に声をかけた。

「待って、いま行くから!」

遅《おく》れをとった慎吾があわてて駆《か》けだしたものの、机の脚《あし》に蹴《け》つまずいて、派手《はで》に転んだ。教室で見事なヘッドスライディングを見せてしまった慎吾は、そこらじゅうに散乱《さんらん》させた筆箱の中身やノートを拾いながら、頭をかいた。

「痛《い》ってててて……」

「何やってんだよ、慎吾。出っ歯が折れるぞ！」

康平のからかう声に、慎吾はあわてて両手を口に当てる。どきっとした顔でその大きな前歯のぶじを確認《かくにん》する姿《すがた》がかわいらしく、クラスじゅうから笑いが起こった。

「ほら、ぶーちゃんも早く行こうぜ」

昨日の学級会のことなど気にも留《と》めない様子で、陽介が大柄《おおがら》な少年に声をかけた。

「うん、ああ、ぼくはいいよ。教室にいるから……」

「どうしたの？　具合でも悪いの？」

康平から受けとったボールを、突《つ》きたてた人さし指の上でくるくると回しながら、陽介が眉《まゆ》をひそめた。

「いや、そういうわけじゃないけど……」

「ふうん。まあ、いいや。先生、早く行こうよ！」

子どもたちから誘《さそ》いを受けた赤尾だが、幸二にちらりと目をやって、その沈《しず》んだ表情《ひょうじょう》を確認した。

「うーん、先生も今日はムリかなあ。この漢字ドリル、いまのうちに丸つけしないといけないからさ」

「何だよー。わかった、じゃあ、丸つけが終わって来れそうだったら、校庭来てよ！」

「おう」

ほとんどの男子が校庭に出ていってしまい、女子も数人を残して大なわの練習に行ってしまった。教室には幸二たち数名しか残っていない。室内の温度が一段《いちだん》と下がったように感じられた。

白石《しらいし》の助けを借りながら漢字ドリルの丸つけを始めた赤尾だが、いつもなら外で元気にサッカーボールを追いかけるはずの大柄《おおがら》な少年のことが気になり、何度もちらちらと視線《しせん》を送ってしまう。彼《かれ》はというと、とくに何をするでもなく、あきらかにサイズが合っていない自分の席に窮屈《きゅうくつ》そうにすわっていた。その様子に、赤尾は思いきって途中《とちゅう》で赤ペンを放《ほう》りだし、車いすの操作《そうさ》レバーを引いて、最後列の幸二の席へと向かった。

「なあ、幸二。ほんとうに具合は平気なのか？」

「うん、だいじょうぶ」

「そっか、それならいいんだけど」

つぎにどんな会話で少年の心の内を探《さぐ》っていけばよいのか、赤尾は必死に考えをめぐらせていたが、言葉をつなげたのは幸二のほうだった。

「ねえ、先生。ドラえもんに出てくるひみつ道具のなかで、ひとつだけ自由に使えるとしたら何がいい？」

「なんだ、いきなり。でも、そうだなあ……うーん、〝タイムマシン〟も捨《す》てがたいけど、やっぱり、〝ほんやくコンニャク〟かな」

「どうして?」

「そうしたら、いろいろな国の人と話ができるようになって、世界じゅうに友達ができるだろ。楽しそうじゃないか!」

「うん、たしかにそれもいいね」

少年が目を輝《かがや》かせる。

「幸二は何がいいんだ?」

「ぼくは……〝どこでもドア〟」

「どうして?」

「だって、どこでもドアがあれば、自由にどこへでも行けるようになるでしょ。いつでも好きなときに、どこへでも——」

だが、それは小学五年生が夢《ゆめ》を語るときの表情《ひょうじょう》としては、どこか陰《かげ》を感じさせるものだった。ふたたびチャイムが鳴りひびき、幸二が席を立ちあがる。

「つぎは図工なんだ。ぼく、みんなより遅《おく》れてるから、早めに行って準備《じゅんび》しなくちゃ」

「おお、そうか。がんばってこいよ!」

右手に絵の具セット、左手に木工用ボンドを持った幸二は、大きな体を揺《ゆ》らしながら、教室の扉《とびら》を開けて出ていった。

人間と同じように寒さを覚えるのか、太陽はどの季節よりも早く一日の仕事を終え、暮《く》れゆく街なみの向こうへとその姿《すがた》を消してしまう。午後五時を過《す》ぎたばかりだというのに、職《しょく》員室《いんしつ》の窓《まど》はまるで黒いシートでおおってしまったかのように景色を失っていた。

十二月の声を聞くと、教員たちは通知表作成や成績処理《せいせきしょり》などにうんざりするほど時間を奪《うば》われ、その帰宅《きたく》時間を大幅《おおはば》に遅《おく》らせることとなる。

「今日こそは九時過ぎに帰りたいなあ……」

壁《かべ》にかかった時計をぼんやりながめていると、その時計の下で手招《てまね》きをしている副校長の姿が見えた。

「副校長先生、何でしょう?」

赤尾は、無表情《むひょうじょう》のまま、職員室の黒板前にある灰谷《はいたに》の席まで車いすを移動《いどう》させた。四月に着任《ちゃくにん》して以来、こうして副校長の灰谷に呼《よ》ばれることは何度かあったが、それが楽しい話だったことなど一度だってない。

「赤尾先生、何でも五年三組ではクリスマス会をなさるんだとか」

「あ、はい。子どもたちの発案で、終業式の前日、二十四日にやろうということになってるんですが……」

赤尾の答えを聞くと、灰谷は渋《しぶ》い顔になった。やっぱり、今日も楽しい話ではなさそうだ。赤尾はこれから続くだろう数分間の苦痛《くつう》な時間を覚悟《かくご》した。

「先生は新任《しんにん》なのでご存《ぞん》じないかもしれませんが、いちおうわれわれの世界では、クリスマス会というのはやらないことになっているんですよ」

「え、どうしてですか!?」

よくぞ聞いてくれたといった顔で、灰谷は得意げに説明を始めた。

「クリスマスというのが特定の宗　教《しゅうきょう》行事であることは、先生もおわかりになりますよね？公的な教育機関である公立小学校で、あるひとつの特定宗教の行事を祝うとなると、いろいろと問題があるわけです」

「問題、ですか？」

「たとえば、クラスにイスラム教徒のお子さんがいたとします。その子が家に帰って、『お母さん、今日は学校でクリスマス会をやったよ』と話をする。となれば、いつその保護者《ほごしゃ》から電話がかかってきて、『なぜクリスマス会だけ祝って、イスラムの行事はやってくれないんだ』とクレームを受けてもおかしくないでしょう」

「まあ、それはそうかもしれませんけど、クリスマスってもう特定の宗教行事という枠《わく》を超《こ》えて、国民的イベントとして考えられているような気がするんですけど……」

「とくに信仰《しんこう》する宗教をもたないわれわれからすれば、そうでしょう。でも、キリスト教以外の宗教を熱心に信仰している方からすれば、やっぱりいい気持ちはしない。まあ、そういった配慮《はいりょ》をすることで、つまらないトラブルを避《さ》けましょうということです」

灰谷はこれでわかってくれたでしょうという顔でいたが、赤尾はその理屈《りくつ》を素直《すなお》にはのみこめずにいた。だが、いまは公務員《こうむいん》という立場である以上、たとえそれが自分の考えとはちがっていても、灰谷の言うとおりにしなければならない。

「副校長先生、ひとつお聞きしてもいいですか?」

「何でしょう?」

「これから学級通信をつくろうと思っていたんですけど、その紙面にクリスマスツリーやサンタクロースのイラストを使う、というのはどうなんでしょう?」

灰谷は深くうなずくと、思いのほかすぐに答えをくれた。

「そういったイラストはOK《オーケー》ということにしましょう。ただ、その上に〝メリークリスマス〟といった文言は入れないようにしてください」

クリスマスを象徴《しょうちょう》するようなイラストは入れてもいいが、言葉にしてはいけない。その線引きにいったいどんな意味があるのか、赤尾にはよくわからなかった。赤尾の表情《ひょうじょう》からその思いを読みとった灰谷は、苦笑いを浮《う》かべながら新任教師《しんにんきょうし》に言葉をかけた。

「赤尾先生。ぼくだってね、毎年十二月二十四日には家に帰って娘《むすめ》たちとクリスマス会をやりますよ。だけど、私人《しじん》としてのクリスマスと公人としてのクリスマスでは、意味合いがちがってくる。教師としてのクリスマス、たしかにむずかしいけれど、うまくやってみてください」

ふだんは「副校長」という鎧《よろい》を着こんではいるが、仮面《かめん》を外せばそこには「灰谷慎一《しんいち》」という生身の人間が存在《そんざい》しているのかもしれない。そんなことを思いながら頭を下げ、赤尾は自分の席へともどっていった。

「では、次はAグループの出し物です。Aグループのみなさん、お願いします！」

「うーん、ここ、出し物の名前も言ったほうがいいんじゃないかな。『次はAグループで、ジェスチャーゲームです』みたいに」

「あ、それもそうだね。さすが、教授《きょうじゅ》。そうしよう！」

クリスマス会で司会を任《まか》されることになった公彦《きみひこ》とさやかが、鉛筆《えんぴつ》を手に原稿用紙《げんこうようし》へと向かっている。ひとつひとつのセリフを吟味《ぎんみ》しながら、ふたりで台本を練りあげていく。またべつの席では、「はじめの言葉」を担当《たんとう》する文乃が「終わりの言葉」を担当する陽介と机《つくえ》をならべ、たがいにアドバイスしあいながら、あいさつの言葉を考えていた。

六時間目の学活の時間、五年三組はそれぞれの担当に分かれて、二学期を締《し》めくくる楽しいイベントに向けて準備《じゅんび》を進めていた。各グループからどんな出し物をするのかを聞きとり、はじめの言葉や終わりの言葉、歌やゲームなどを盛《も》りこんで実施《じっし》する順番を決定するプログラム係。大きめの画用紙にイラスト入りで当日の内容《ないよう》を紹介《しょうかい》するポスター係。細長く切った折り紙をリング状《じょう》につないだり、薄《うす》い和紙を重ねあわせてきれいな花をつくったりなど、当日の教室を華《はな》やかに飾《かざ》るデコレーション係。高学年ともなると、教師《きょうし》があれこれ口出ししなくても、こうして自分たちで準備《じゅんび》を進めていくことができるんだなあ——赤尾は感心しながら、それぞれのグループの間を電動車いすで行ったり来たりしつつ、その様子を見守っていた。

「先生、ぶーちゃんが全然やってくれないんです！」

京子の突《つ》きさるような声が聞こえてきたのは、ハサミで色とりどりの折り紙を大量に切りさばいていくデコレーション係の方向からだった。

「だってぇ……ぼく、こういうの苦手なんだもん」

赤尾が駆《か》けつけると、幸二がやけに小さく見える黄色い柄《え》のハサミを片手《かたて》に持ちながら、伏《ふ》し目《め》がちにうつむいていた。

「そんなこと言ったって、ジャンケンで負けたんだから仕方ないだろ」

幸二と同じく、けっして手先が器用とは言えない康平が、利《き》き手《て》の左手でハサミをカチャカチャ言わせながら語気を強めた。

「でもぉ……」

「先生がいつも言ってるでしょ。一生懸命《いっしょうけんめい》やってみて、それでもできないことは仕方ない。でも、全力を尽《つ》くさないうちから『できない』とあきらめるのは最低のことだって」

この頃《ごろ》、赤尾は自分の出番が少なくなってきていることを感じていた。四月からくりかえし伝えてきたことが子どもたちの胸《むね》に届《とど》きはじめ、赤尾が口を開こうとすると、子どもどうしで「赤尾先生はいつもこう言っている」と、その思いを代弁《だいべん》してくれるようになっていたのだ。

グループの仲間からやり玉にあげられ、しょんぼりと肩《かた》を落としている幸二に、赤尾は担任《たんにん》としてどんな言葉をかけてやったらいいのか、考えあぐねていた。この日の朝、幸二がクラスメイトに気づかれないようにそっと持ってきた連絡帳《れんらくちょう》の中身を、赤尾はもう一度思いかえしていた。

〈いつもお世話になっております。この度《たび》、主人の転勤《てんきん》に伴《ともな》い、一家で静岡県浜松市《しずおかけんはままつし》へと転居《てんきょ》することが決まりましたので、ここにお知らせいたします。突然《とつぜん》のことに、私《わたくし》どももたいへん驚《おどろ》いておりますが、幸二はお友達とも別れがたいようで、最初に伝えたときには家で泣《な》き崩《くず》れていたほどです。いまは少しずつ落ち着きを取《と》り戻《もど》し、ようやく転校という事実を受け止めつつあるようですが、友達には絶対《ぜったい》に言ってほしくないと申しております。先生にはご迷惑《めいわく》をおかけしますが、残り二週間、よろしくご指導《しどう》ください。山部《やまべ》〉

目の前では、あいかわらず京子が作業の足を引っぱる大柄《おおがら》な少年に目をつりあげている。

「先生、なんとか言ってください！」

赤尾は軽くうなずくと、椅子《いす》の上で大きな体を小さく縮《ちぢ》めている幸二にやさしい口調で声をかけた。

にについていった。

「幸二、ちょっとついておいで」

そう言って車いすのレバーを引いて教室を出ていくと、気弱な少年がよろよろとそのあと

教室を出たふたりは、二階でエレベーターを降《お》りた。おもに一～三年生の教室がならぶこの階は、五時間目までで授業《じゅぎょう》を終えた子どもたちがすでに帰ってしまっていて、やけにひっそりとしている。階上からかすかに聞こえてくる上級生たちの活気あふれる声が、さらにその静寂《せいじゃく》を引きたてていた。

「ここにしようか。幸二、開けてくれるか？」

なかをのぞきこみ、だれもいないことを確認《かくにん》すると、赤尾は車いすのまま通常《つうじょう》の教室の二倍はあろうかというその部屋に入っていった。壁際《かべぎわ》の棚《たな》には、図鑑《ずかん》から小説まで、あらゆるジャンルの本がびっしりとならんでいる。暖房《だんぼう》の効《き》いていない図書室は、まるで冷蔵庫《れいぞうこ》のなかにいるみたいだった。

「たまには図書室に来て、本を読んだりもしてるのか？」

「いやあ、いつも陽介たちとサッカーばっかりしてるから……」

少年は、ちょっぴり恥《は》ずかしそうに頭をかいた。赤尾は前の扉《とびら》からも、うしろの扉からも見えないような位置に車いすを停《と》めると、幸二にもその近くにすわるよう、目で合図した。

幸二はおどおどした目つきで赤尾の顔色をうかがうと、その大きな尻《しり》を固い木製《もくせい》の座面《ざめん》に乗っけた。

「なあ、幸二。このまえの質問《しつもん》の答え、変えてもいいか？」

「えっ？」

説教されるのだとばかり思っていたから、その第一声におどろいた。

「あのときは、ほんやくコンニャクと言ったけど、やっぱり先生もどこでもドアがいい。そうすれば、転校してしまった友達とも毎日会えるし……いや、どこでもドアがあれば、たとえ遠くに引《ひ》っ越《こ》したって、転校する必要がないもんな。毎日、その扉《とびら》を開けて、五年三組に通ってくればいいんだから」

幸二は、泣いているような、笑っているような、困《こま》っているような、そんなむずかしい顔をしていた。

「みんなとお別れするの、つらいよな……」

その声を聞いたとたん、幸二の顔はみるみる真っ赤に染《そ》まっていった。ぎゅっと肩《かた》があがり、両手のこぶしをにぎりしめて、小刻《こきざ》みにふるえている。

「先生、おまえを行かせたくない！」

そう言うと、赤尾は車いすの座席《ざせき》から身を乗りだすようにして、目の前の幸二に飛びついた。短い腕《うで》で、それでもしっかりと、あとわずかで静岡に転居《てんきょ》してしまう少年の肩を抱《だ》きしめた。

「でもさ、どうしようもないんだよな。お父さんの仕事の都合だもんな。どんなに幸二が行きたくないと言ったって、先生が行かせたくないと言ったって、どうしようもないんだもんな……」

ふるえる担任《たんにん》の声に、幸二は顔を上げた。赤尾の目からは、大粒《おおつぶ》の涙《なみだ》がぼろりぼろりとこぼれ落ちて、両ほおに大きな流れをつくりだしている。それは、次第《しだい》に嗚咽《おえつ》へと変わっていった。

「先生、ぼくも行きたくないよ……」

幸二がその太い両腕《りょううで》を赤尾の背中《せなか》に回し、きつく、きつく抱《だ》きしめる。それからしばらくの間、ふたりは泣きじゃくった。何か言葉をかわすでもなく、ただ声をあげて泣きじゃくった。冷蔵庫《れいぞうこ》のなかで冷えきった体が、たがいの体温で少しずつあたためられていく。

そのうちに、チャイムが時を告げた。

「さあ、もどらなくちゃな。みんなが待ってる」

「うん……」

幸二はその手を担任から離《はな》すと、手の甲《こう》で濡《ぬ》れたほおを拭《ぬぐ》った。目を真っ赤にはらした赤尾も、ワイシャツの袖《そで》を顔になでつけるようにして、涙のあとを消した。

「なあ、幸二。みんなには……ほんとうに何も言わなくていいのか？」

幸二は少しだけためらいながらも、赤尾の言葉にうなずいた。

「クリスマス会、みんな、すごく楽しみにしているでしょ。なんか、ぼくのことでつまらない会になっちゃったら、いやだからさ」

「そっか……。先生はみんなにきちんと言ったほうがいいと思ってるけど、最終的にはおまえの気持ちを尊重《そんちょう》するよ。でも、やっぱり話したいという気持ちになったら、いつでも言いにくるんだぞ」

「うん、わかった」

電気を消し、扉《とびら》を閉《し》める。広々とした図書室は、また元通りの冷蔵庫《れいぞうこ》にもどったかのようだった。


「うーん、やっぱり、ここのつくねは最高だなあ」

卵《たまご》の黄身でとろみのついた串《くし》をほおばりながら、紺野《こんの》は右手でぐいとビールのジョッキを持ちあげた。毎晩《まいばん》十時近くまで成績処理《せいせきしょり》に追われながらも、こうして誘《さそ》いの声をかければ、いやな顔ひとつせずにつきあってくれる。ノリのいい先輩教師《せんぱいきょうし》のやさしさには、これまで何度となく助けられてきた。

「だからね、ぼくは認《みと》めたくないんですよ。幸二が転校していってしまうなんて」

赤尾はまだほとんどビールに口をつけていないというのに、まるで酔《よ》っ払《ぱら》っているかのような口調で、紺野にからんでいる。

「ふふん。うらやましいなあ」

あっという間につくねを平らげてしまい、今度は塩のきいた鳥皮をパクついている紺野が、意外な言葉を返してきた。

「え、うらやましい？」

忙《いそが》しい時期であることを承知《しょうち》のうえで紺野に声をかけたのは、この日の連絡帳《れんらくちょう》で知らされた幸二の転校という事実を、ひとりでは受けとめきれそうになかったから。教師《きょうし》になってから最大とも言える悲しみに接《せっ》しているというのに、紺野は平気な顔で「うらやましい」などと言っているのだ。

「いやあ、なつかしいというか、オレにもそんなときがあったなあと思ってさ」

「それ、どういう意味ですか？」

赤尾はなんだかからかわれているような気がして、少しむくれていた。それでも、紺野は涼《すず》しい顔で二杯目《はいめ》のジョッキをかたむけている。

「教員一年目の冬、あ、だから、いまのおまえとちょうど同じ時期だよな。うちのクラスからも転校していっちゃう子がいてさ。そのときはオレも取《と》り乱《みだ》したよ。いやだ、いやだ。そんなの認《みと》めたくない。それはもう駄々《だだ》っ子《こ》みたいになってたけど、オレが騒《さわ》いだところでどうなるもんでもなくて。結局、泣く泣く子どもたちと送りだすしかなかった」

思いがけない話に、赤尾は神妙《しんみょう》な顔つきになって聞いていた。

「でもさ、ふしぎなのはその翌年《よくねん》、今度はちがう子が転校していくことになったんだけど、一年目に受けたほどの衝撃《しょうげき》、悲しみはなかったんだよ。半減《はんげん》、と言ったらいいのかな。それから十年近く教師《きょうし》をやって、何人もの子どもを送りだしてきたけど……正直、おまえがいまこうして悲しんでいる姿《すがた》を見て、ああ、もうオレの感情《かんじょう》は摩耗《まもう》しちゃってるんだなと思ったよ」

「感情が摩耗、ですか？」

「ほら、よく言うだろ。医者もはじめのうちは患者《かんじゃ》の死に深い悲しみを覚えるけど、次第《しだい》に感覚が麻痺《まひ》してきて、何とも思わなくなるって。オレもさ、いまだって『さみしいな』と思う気持ちがないわけじゃないよ。でも、それより先に、あ、転校ってことはあの書類とあの書類を書いて——とか、手続き上のことが頭に浮《う》かんでくるんだ」

赤尾は何も言えず、目の前のビールジョッキの表面についた水滴《すいてき》がゆるゆると流れおち、テーブルに小さな水たまりをつくっていくのをじっとながめていた。

「だからさあ、こうして山部の転校に正面から向きあって、心から傷《きず》ついているおまえがうらやましいんだよ。教師として、まだみずみずしい感性《かんせい》で勝負ができている。オレには、もうもどれない場所だからさ」

そう言うと、紺野は片手《かたて》でジョッキを持ったまま、どこか遠くを見つめていた。店内に流れるメロディアスな昭和の歌謡曲《かようきょく》が、赤尾の心にしみていく。

「紺野先生、通知表とかで忙《いそが》しいのに、今日はほんとうにありがとうございました」

深く頭を下げる赤尾に、兄貴分《あにきぶん》はやさしいほほえみを浮《う》かべながら声をかけた。

「この仲間と出会えて、ほんとうによかった。お別れの日に、山部に心からそんなふうに思ってもらえるといいな」

赤尾は口元をぎゅっと引きしめると、悲しみと決別したかのような強い意志《いし》のうかがえる顔で、深くうなずきかえした。


「気をつけー。これから、四時間目の道徳《どうとく》の勉強を始めます。よろしくお願いします」

「よろしくお願いします」

日直の康平の合図で、二十八名がそろって頭を下げる。赤尾が、いつも以上に張《は》りのある声で子どもたちに語りかけた。

「今日の授業《じゅぎょう》では、この数字について勉強していきたいと思います」

白石は白いチョークを手に取ると、何やら黒板に大きな字で書きはじめた。

$$\frac{28}{68\text{億}}$$

「六十八億分の二十八？」

慎吾が、ふしぎそうに声をあげる。

「そう。四年生のときに分数の勉強はしたから、意味はわかるよね。じゃあ、ここに書いてある『六十八億』とか『二十八』という数字は、なんのことだろう?」

赤尾の問いかけに、しばらく近くの友達と顔を見合わせ、小声で相談していた子どもたちだが、やがて勘《かん》のいい陽介が、「わかった!」と手をあげた。

「お、陽介!」

「二十八は、このクラスの人数じゃない? 二十八人、という意味」

「正解《せいかい》! よくわかったな。じゃあ、この六十八億という数字はどうだ?」

ふたたび口を真一文字に結んで考えこんでしまった陽介。その代わりに手をあげたのは、メガネをかけた公彦だった。

「六十八億は、世界の人口だと思います。いま世界の人口は急激《きゅうげき》に増《ふ》えているから正確《せいかく》な数字かわからないけど、だいたい六十八億人だと言われているはずです」

「おー、すげえ」

「さすが、教授《きょうじゅ》だな!」

教室のあちこちから、感嘆《かんたん》の声があがる。

「そのとおり。六十八億とは、世界の人口のことを指しています」

「ん、ということは……『世界の人口』分の『五年三組』? どういう意味だろう」

陽介が、「ますますわからなくなってきたぞ」と腕組《うでぐ》みをしている。ほかの子どもたちも、みんなふしぎそうに首をかしげていた。その様子に、赤尾が少しずつタネ明かしを始めていった。

「まず、五年三組には二十八人の仲間がいます」

そう言うと、白石が黒板の中央に小さな円を描《か》き、そのなかに「三組」と書きいれた。赤尾が続ける。

「でも、この松浦西小《まつうらにししょう》にはみんなを含《ふく》めて八十四人の五年生がいて、みんなはクラス替《が》えで〝たまたま〟三組に分けられた」

白石が、さっきより少し大きめの円を「三組」の外側に描き、今度は「五年生」と書きいれる。

「五年生だけじゃなく、松浦西小全体だと何人くらいいるか、みんなは知ってるかな?」

赤尾の問いに、文乃がすばやく計算した。

「だいたい、五百人くらい?」

「そう、いまこの学校には五百人以上の仲間が通っています」

さっきの円の外側に、今度は「松浦西小」という円が描かれた。円はすでに三重になっていたが、赤尾の問いかけはまだまだ続いた。

「じゃあ、この松浦市にはどれくらいの人が住んでいるんだろう?」

「ああ、たしか三年生のときに勉強したよな」

「ええと、なんだっけ。十万人くらい？」

「いや、二十万人じゃない？」

京子が、ほぼ正解《せいかい》に近い数字をあげる。

「そうだね、この松浦市には約二十万人もの人が住んでいます。じゃあ、東京都は？」

「千三百万人！」

「日本は？」

「一億三千万人！」

さすがに、このあたりともなるとテンポよく答えが飛びだしてくる。その間にも白石が描《か》く円はつぎつぎと外に広がっていて、黒板にはすでに六重の輪ができあがっていた。

「そして、最後に世界。ここに、六十八億人もの人がいる」

その言葉に合わせて、白石がチョークの粉が飛びちるほどダイナミックに、最後の円を描ききる。子どもたちはその迫力《はくりょく》に圧倒《あっとう》されたのか、言葉を失い、ただその幾重《いくえ》にもなった円を見つめていた。

赤尾が目で合図を送る。白石は、すばやく教卓《きょうたく》の下に隠《かく》していた地球儀《ちきゅうぎ》を取りだした。

「いま勉強したように、ここに六十八億もの人が住んでいる。そのなかで日本は――」

「あ、そこだ！」

陽介が、ユーラシア大陸に寄《よ》りそうように浮《う》かぶ細長い島国を目ざとく発見した。

「ちっちゃ！」

そのあまりの小ささに、慎吾が思わず声をあげる。

「うん、びっくりするほど小さいよね。さらに、その日本のなかの東京都のなかの松浦市の……この松浦西小なんて、ホント、地球儀《ちきゅうぎ》で見れば、針《はり》の先っぽくらいのものなんだ」

赤尾の言葉に、子どもたちが何度もうなずく。

「世界は広い。そして、その世界には、六十八億人もの人が住んでいる。この六十八億という数、『億』という字を使わずに、数字で書いてみるよ」

《6800000000》

白石が書いた数字に、子どもたちからおどろきの声があがる。

「うわあ、すごい！」

「ゼロがいっぱい」

大きく口を開けて黒板を見つめる子どもたちに、赤尾がたたみかけた。

「みんなは、このうちのたった二十八人。世界に六十八億もの命があるなかで、みんなはたまたま日本人として生まれ、たまたまこの松浦の地で育ち、たまたま今年で十一歳《さい》を迎《むか》える学年に生まれ、たまたま三組にクラス分けされた。たくさんの〝たまたま〟が重なって、この五年三組の教室で出会ったんだ」

「それで六十八億分の二十八かあ。やっとわかった！」

慎吾が目を輝《かがや》かせてさけんでいる。

「数学的に考えても、奇跡的《きせきてき》な確率《かくりつ》で出会いを果たしたと言えますね」

教授《きょうじゅ》が感心したようにつぶやいた。

「先生、運命だね」

陽介の言葉に、赤尾が深くうなずいた。

「運命か……陽介、いいこと言うな。こうやって考えてみると、この五年三組は奇跡的な確率で出会った仲間なんだってわかるよなあ。陽介が言うように、たしかに〝運命〟なのかもしれない。この二十八人全員がそろって、はじめて五年三組なんだ。だれかひとりでも欠けてしまったら、五年三組じゃないんだと先生は思ってる」

語っていくうち、次第《しだい》に言葉が熱を帯びていくのが自分でもわかった。最後列にすわる幸二は、まるで金縛《かなしば》りにあったかのようにその身を硬《かた》くして、じっと赤尾の話を聞いていた。


「先生、ちょっと……」

四時間目の道徳《どうとく》が終わると、すぐに幸二が赤尾の車いすの横までやってくる。

「どうした、幸二？」

「うーん、ちょっと。先生、廊下《ろうか》までいい？」

あわただしく給食の準備《じゅんび》を始めるクラスメイトをよそに、ふたりは扉《とびら》の外に向かった。大《おお》柄《がら》な少年は、人気《ひとけ》のない廊下《ろうか》まで担任《たんにん》を連れだしたものの、ただ「あのさ」「うんとね」という言葉をくりかえすばかりで、なかなか話を切りだせずにいる。

「あっはっはっは」

お調子者の慎吾がまた何かやらかしたのだろうか、教室からは大きな笑い声が聞こえてくる。ふたりは、ちらりと教室へ視線《しせん》を向けた。そのにぎやかな声にいよいよ決心がついたのか、幸二は顔を上げると、まっすぐに赤尾の目を見すえた。

「先生、ぼく……みんなに言うよ」

赤尾はにっこり笑って、何度も、何度もうなずいた。

「そうだな。それがいいと思う。でも、どうして言ってくれる気になったんだ？」

幸二は、はにかみながらそれに答えた。

「ぼく……ほんとうはこわかったんだ」

「こわかった？」

「うん、みんないつも『ぶーちゃん、ぶーちゃん』って遊んでくれてるけど、ぼくが転校するとわかっても、あんまり悲しくなくて、『へえー』って流されちゃうんじゃないかって」

「そんなことあるわけないだろ。みんな幸二のこと大好きじゃないか！」

幸二は不安そうな顔で、首を横に振《ふ》った。

「たとえばさ、陽介が転校するとなったら、それは五年三組の大ニュースだし、みんなきっと悲しいと思うんだ。でも、べつにぼくがいなくなっても、みんな平気なんじゃないかなって。そう思ってたんだ」

「幸二……」

赤尾は、強く目を閉《と》じた。思いだされるのは、中学一年生の夏。林間学校に向かうバスのなかでのことだった。三十八名のクラスで、欠席一名。風邪《かぜ》を理由に休んだのは、ふだんから口数も少ない、あまり存在感《そんざいかん》のない葛西《かさい》という少年だった。

「まあ、あいつでよかったよな。どうせ休むなら」

赤尾は、いつもいっしょにいるグループのなかから欠席者が出なくてよかったという意味で言ったつもりだったが、この言葉に烈火《れっか》のごとく怒《おこ》ったのが、赤尾のとなりにすわる白石だった。

「そりゃあ、慎《しん》ちゃんはいいよな。いつだってクラスの中心だもん。もし慎ちゃんが休みだったら、きっとみんなが心配してくれるよ。でもさ、ほかのやつの気持ち、少しは考えたことあんのかよ。今日、葛西がどんな気持ちで家にいるのか考えてみろよ。目立たなくたって、つまんないやつだって、クラスの一員なんだよ。全員がいて、はじめて一年B組なんだよ！」

結局、林間学校の三日間、白石はひとことも口をきいてくれなかった。

「自分なんかいなくたって、クラスはなんの影響《えいきょう》も受けないんじゃないか」

たったいま幸二が吐露《とろ》した不安は、十五年前の葛西にも、そして、むかしからけっして目立つほうではなかった白石にも共通するものがあるのだろう。いや、きっと幸二だけではない。五年三組にも、幸二と同じような不安を抱《いだ》いている者は少なくないはずだ。だが、それは同時に、小さな頃《ころ》からつねにクラスの中心的存在《そんざい》だった赤尾には、リアルに想像《そうぞう》することがむずかしい感情《かんじょう》でもあった。

「でもね、先生」

人気《ひとけ》のない廊下《ろうか》で、幸二がふたたび口を開いた。

「さっきの授業《じゅぎょう》を聞いて、やっぱり言わなきゃって思ったんだ。みんなとは奇跡的《きせきてき》な確率《かくりつ》で出会ったんだから、何も言わずにいなくなっちゃうのは、なんだかみんなを裏切《うらぎ》るみたいな気がしちゃって……」

赤尾が、大きくうなずいた。

「じゃあ、帰りの会でいいか？」

「うん、お願いします。ホントは、まだちょっとこわいけど……」

そのとき、教室の扉《とびら》が開き、京子が顔をのぞかせた。

「先生、給食の準備《じゅんび》できたよ」

「おう、ありがとう。いま行く！」

赤尾は幸二のほうを振《ふ》りかえると、やさしくほほえみかけた。

「今日は、ひさしぶりにおかわりできるんじゃないか？」

「えへへ。どうかな……」


赤や黒のランドセルが、机《つくえ》の上にずらりとならぶ。黒板の左端《ひだりはし》には翌日《よくじつ》の時間割《じかんわ》りが色つきのマグネットで示《しめ》され、子どもたちはそれを見ながら連絡帳《れんらくちょう》に書きうつしている。

「係や当番からの連絡はありませんか？」

人前で話すことがあまり得意ではない日直の康平が、照れかくしに体をくねらせながら、帰りの会を進行していく。

「とくにないようなので、先生のお話です」

早く言い終わりたいうえに、あまり口を動かさずにしゃべろうとするため、どうしてもぶっきらぼうな口調に聞こえてしまうのが、康平の特徴《とくちょう》だった。

「今日は先生じゃなくてな、先生の代わりに話がある人がいるんだ」

赤尾の言葉に、子どもたちがたがいに顔を見合わせる。陽介などは、つぎつぎと友達の顔を指さしながら、「おまえ？　じゃあ、おまえ？」と口パクで聞きまわっている。かまわず、赤尾はいちばんうしろの席にすわる少年を呼《よ》びよせた。ゆっくり立ちあがり、机と机の間を窮屈《きゅうくつ》そうに歩いてくる幸二に、思わずおどろきの声があがった。

「えっと、あの……」

黒板の前で顔をこわばらせた幸二が、ときおり、赤尾のほうへ助けを求める視線《しせん》を送る。だが、赤尾は何も言わずにただうなずくばかり。勇気を出して、自分で切りだすしかない。ようやく決心がついたのか、幸二はぎゅっと目をつぶると、彼《かれ》にしてはめずらしく、やや早口にまくしたてた。

「ぼく、三学期から静岡県の浜松というところに転校することになりました。いままでお世話になりました。みんな、ありがとう……」

言い終わると、幸二はその大きな体を折りたたみ、くの字に曲げた。突然《とつぜん》の発表におどろいたクラスメイトは、あまりのショックの大きさに、まもなくこのクラスを去ってしまう仲間にかけるべき言葉を見失っていた。

「はあ？」

しばらくして、怒気《どき》をふくんだ声が聞こえてきた。それまではみんなの反応《はんのう》がこわくて体を曲げたまま床《ゆか》を見つめていた幸二だが、その声におそるおそる顔を上げる。そこには、顔を真っ赤にして口をとがらせる陽介の顔があった。

「そんなの聞いてねえし。だいたい、三学期のクラス対抗戦《たいこうせん》、どうすんの？　ぶーちゃんいなかったら、キーパーはだれがやんの？　初詣《はつもうで》は？　康平と、慎吾と、オレとぶーちゃんで氷川神社《ひかわじんじゃ》に行こうぜって約束してたじゃん。あれ、ウソなの？」

「陽介ッ！」

担任《たんにん》の赤尾からするどい視線《しせん》を送られたクラスリーダーは、「だって、だってぇ……」と声をふるわせながら机《つくえ》に突《つ》っ伏《ぷ》した。どこからか、すすり泣く声も聞こえてくる。

「さっきの授業《じゅぎょう》でさ、先生言ってたじゃん。二十八人全員がそろって、五年三組だって。ぶーちゃんいなくなったら、もう三組じゃないじゃん。もうダメじゃん！」

つっかかるような言い方で、康平も幸二の転校を受けとめられない心の内を伝えていた。

「みんな、意外と薄情《はくじょう》なんだな」

赤尾の思いがけない言葉に、机に伏せていた陽介がおもむろに顔を上げた。壁《かべ》にもたれかかるようにしていた康平は、担任をにらみつけるようにしてつぎの言葉を待った。それまで教室のすみにいた赤尾は、車いすを黒板の前まで進めて幸二のとなりまで来ると、二十七名の子どもたちに向かって語りかけた。

「引《ひ》っ越《こ》しちゃうとさ、もう仲間じゃなくなっちゃうのか？　陽介、仲間っていうのは、いつもいっしょにいなきゃダメなのか？　康平、同じ教室で勉強していないと、もう仲間とは呼《よ》べないのか？」

名指しで問いかけられた陽介は、ふたたび突っ伏すようにしてあごを机の上にのせると、そのまま口をすぼめていた。康平は何も言いかえせず、壁にもたれかかったまま、ただうなだれている。赤尾は、かまわず続けた。

「先生だって、幸二に転校なんてしてほしくない。いや、いちばん転校したくないのは、きっと幸二本人だよな。でも、お父さんの仕事の都合ということだから、こればっかりはどうしようもない。泣いたって、怒《おこ》ったって、幸二は二学期が終われば浜松に行ってしまう。だったら……笑って送りだしてやらないか？」

「賛成《さんせい》！　笑顔《えがお》でお別れしたほうが、五年三組らしいもん」

京子が、指先でそっと目元をぬぐいながら声をあげた。

「なんか、〝お別れ〟という言葉も使いたくないよね。離《はな》れたって仲間なんだから！」

さやかも、あえて元気な声を出して、それに続く。

「みんな……ありがとう。ほんとうにありがとう……」

幸二が大粒《おおつぶ》の涙《なみだ》をこぼしながら、何度も頭を下げる。その様子に、それまで机《つくえ》にへばりついていた陽介が、気を取りなおしたようにむくりと起きあがった。

「もう、しょうがないなあ。じゃあさ、クリスマス会に代わる名前、みんなで考えようよ。ほら、昨日の帰りの会で先生が言ってたじゃん。『クリスマス会』という言い方はできなくなったから、ほかの名前を考えようって」

「ぶーちゃん転校しちゃうし、『お別れ会』でいいんじゃない？」

「ばか。〝お別れ〟という言葉は使いたくないねって、いまさやかが言ったばかりだろ」

「あ、そうか」

陽介にたしなめられ、慎吾がぺろっと舌《した》を出した。

「壮行会《そうこうかい》ってどうかな？」

「ソーコーカイ？　なんだよ、それ」

教授《きょうじゅ》の提案《ていあん》に、康平が首をかしげた。

「よくオリンピックとかでさ、これから大会に向かう選手たちを『がんばって』と送りだすようなイベントがあるでしょ」

「ああ、なんかテレビで見たことあるような気がする」

「いいんじゃない、それ！」

「よーし、じゃあ二十四日は、ぶーちゃんの壮行会にしよう！」

口々に賛同《さんどう》を示《しめ》す子どもたちの言葉に何度もうなずきながら、赤尾はまだ涙《なみだ》の止まらない幸二へと向きなおり、小声でささやいた。

「よかったなあ、幸二」


駅前の商店街は「クリスマスセール」と銘打《めいう》っていた。コンビニや洋菓子店《ようがしてん》の前では、サンタクロースの衣装《いしょう》を着た売り子たちが必死に声を張《は》りあげて、この日のうちに売りきってしまわなければならないケーキの存在《そんざい》をアピールしている。

「もうクリスマスも終わりかあ。なんだかこの一年はあっという間だったね」

白石が、かじかむ両手に息を吐《は》きかけながら、つぶやいた。

「ん、あれ陽介じゃないか？　おーい、陽介！」

ものすごいスピードで商店街のメインストリートを駆《か》けていくあずき色のジャンパーを、赤尾が大きな声で呼《よ》びとめた。

「あれ、先生!?」

ついさっき「よいお年を！」とあいさつしたばかりの担任《たんにん》とばったり顔を合わせ、陽介は目を丸くしていた。

「陽介、そんなに急いでどこに行くんだ？」

「決まってるじゃん！　ぶーちゃんちだよ。先生たちは？」

「おんなじだよ」

赤尾のとなりを歩く白石が、陽介に向かって軽く右目をつぶって親指を突《つ》きたてた。

「ねえ先生、まだ間に合うかなあ？」

「どうだろうなあ。幸二が終業式から帰ったら、すぐ出発すると言ってたから……。とにかく急ごう」

「うん……」

商店街を抜《ぬ》けると、一軒家《いっけんや》やマンションが建ちならぶエリアに差しかかる。それぞれのベランダの柵《さく》や壁面《へきめん》には色とりどりの電飾《でんしょく》が巻《ま》きつけられて数時間後の出番を待っていたが、明日になればほとんどがその役目を終えて家のなかに片《かた》づけられてしまう。そう考えると、なんだか急にさみしい風景にも見えてくるからふしぎだった。

「あ、康平がいる！　慎吾も、教授《きょうじゅ》も、みんな来てるじゃん」

幸二が住むマンションの前に仲間たちの姿《すがた》を見つけた陽介は、赤尾たちに「先行くね！」と言いのこすと、あわてて駆《か》けだしていった。その奥《おく》には、二台の大型トラックが停《と》まっているのが見える。

「間に合った！」

赤尾と白石が少し遅《おく》れて到着《とうちゃく》すると、ちょうど幸二がマンションの入り口の階段《かいだん》を下りてくるところだった。

「あれ、みんなどうしたの？」

つい一時間ほど前に終業式を終え、教室でみんなから盛大《せいだい》に送りだされたばかりだというのに、またこうして仲間が目の前に集まっている。その向こう側では、車いすに乗った担任《たんにん》がこちらを見てほほえんでいる。

階段のうしろから、幸二がそのまま大きくなったような大柄《おおがら》な男性《だんせい》が下りてきた。幸二の父・清久《きよひさ》は、突然《とつぜん》のことに目を丸くしている息子《むすこ》の肩《かた》にやさしく手をかけると、「いま車を回してくるからな」と言って、駐車場《ちゅうしゃじょう》のほうへと消えていった。

階段を下りきった幸二のもとに、仲間が駆けよる。慎吾が、そっと手を出した。その小さな手のひらには、子どもたちに大人気の金属製《きんぞくせい》ベーゴマがのせられていた。

「あっ、これ、ぼくが前からほしがってたベイブレード！」

「うん、ぶーちゃんにあげるよ」

「えっ……」

言葉につまる幸二の前に、今度は陽介が進みでた。背負《せお》っていたリュックサックを肩《かた》から外して前に回すと、ジッパーを開けて中身を取りだした。

「はい、ぶーちゃん」

陽介が右手ににぎりしめているのは、アルゼンチン代表FW《フォワード》・メッシのユニフォーム。

「えっ、これぼくに？」

「ぶーちゃん、メッシのファンでしょ？　ちょっとぶーちゃんには小さいかもだけど」

「でも、これ陽介がいつも気に入って着てたやつじゃ……」

「だから、あげるんじゃん！」

「陽介……」

幸二はほとんど涙目《なみだめ》になりながら、やけに肌《はだ》ざわりのいい水色の布地《ぬのじ》を受けとった。

「ごめん、オレ……何にもないや」

康平が苦笑いを浮《う》かべながら右手を差しだしたが、幸二は「康平もありがとう。ほんとうにありがとう」と、その手をしっかりとにぎりかえした。教授《きょうじゅ》、京子、さやか――この日に集まった仲間たちとつぎつぎに固い握手《あくしゅ》をかわしていくと、最後には白石と赤尾が待っていた。

「幸二……」

白石は少年の厚《あつ》みのある手のひらをしっかりにぎると、肩《かた》を抱《だ》くようにして「がんばれよ」と二回、背中《せなか》を叩《たた》いた。そして、赤尾――。幸二は差しだされた担任《たんにん》の短い腕《うで》を包みこむようにしてにぎると、二度、三度とその手に力をこめた。

プ、プーッ。

駐車場《ちゅうしゃじょう》から出てきた銀色のミニバンが、トラックのうしろにつくと、短くクラクションを鳴らした。

「あ、行かなきゃ……」

階段《かいだん》わきに置いたベイブレードとユニフォームを拾いあげると、幸二はあらためて見送りに来てくれたクラスメイトのほうに向きなおった。

「みんな、ほんとうにありがとう」

ぺこりと頭を下げると、空いている左手を大きく振《ふ》った。

「ねえ先生。こんなときは何て言ったらいいの？　『さようなら』は言いたくないし」

陽介が、となりにいる赤尾の顔をそっと見上げる。

「そうだな……」

赤尾はちょっと考えると、大きく息を吸《す》いこんだ。

「幸二……メリークリスマス！」

幸二は、にっこりほほえんで同じ言葉を返してくれた。

「メリークリスマス！」

陽介も、康平も、京子も、そこにいたみんなが同じようにさけんだ。

「メリークリスマス！」

「メリークリスマス！」

助手席の母親にうながされ、幸二が後部座席《ざせき》に乗りこむ。すぐに窓《まど》が大きく開けられて、アンパンマンのようなふくよかな顔をのぞかせた。

「ねえ、みんな……昨日の壮行会《そうこうかい》で歌ったやつ、歌おうよ」

「うん、いいね」

陽介の提案《ていあん》に、京子がうなずく。

「えっ、ここで『ビリーブ』歌うの？　恥《は》ずかしいよー」

康平は文句《もんく》を言いながらも、足を肩幅《かたはば》に広げて歌う準備《じゅんび》を始めている。

「たとえば君が　傷《きず》ついてー♪」

陽介が歌いだすと、あわてて京子が追いかけた。

「くじけそうに　なった時は♪」

そこに、ひとり、ふたりと声が重なっていく。

「かならずぼくが　そばにいてー　ささえてあげるよ　その肩《かた》をー♪」

助手席の母親が、赤尾と白石に頭を下げる。二台のトラックに続いて、ミニバンがゆっくりと動きだした。窓《まど》から顔を出した幸二が、くちびるをかみしめて手を振《ふ》っている。

「世界中の希望のせてー　この地球はまわってるー♪」

子どもたちの歌声に送られて、銀色の直方体がぐんぐん遠ざかっていく。

「いま未来の　扉《とびら》を開けるときー♪」

「悲しみや苦しみが　いつの日か　喜びに変わるだろうー♪」

「アイ　ビリーブ　イン　フューチャー　信じてるー♪」

子どもたちが一番を歌いおえる頃《ころ》には、幸二を乗せた車はすっかり見えなくなっていた。

「先生……もう、泣いてもいいかな」

陽介のくぐもった声に、赤尾がうなずく。

「もう、泣いてるだろ……」

陽介のほおを伝う涙《なみだ》が引き金となったように、ほかの子どもたちも、こらえていた涙を一気にあふれさせた。仲間の旅立ちを涙ながらに見送る子どもたちのうしろで、赤尾はいつものエールを心のなかでくりかえした。

「幸二、だいじょうぶ。おまえなら、きっとだいじょうぶ」

第八章　みんなちがって、みんないい。

「一月は行く。二月は逃《に》げる。三月は去る——という言葉があるように、三学期はあっという間に過ぎてしまいます」と始業式のあいさつでも校長の黒木《くろき》が話していたように、三学期が始まってから、はや一ヵ月がたとうとしていた。

「はい、はい、はい！」

甲高《かんだか》い声で、自分を指してくれとアピールする。この授業《じゅぎょう》だけで、慎吾《しんご》が手をあげるのは四回目だった。ふだんからおしゃべり好きな慎吾だったが、こうして授業中に手をあげて発言することはあまり得意ではない。それが、今週に入ってから人が変わったように積極的になっている。休み時間のサッカーも、いつもならチャンスの場面にも遠慮《えんりょ》して陽介《ようすけ》や康平《こうへい》にボールをあずけてしまうのに、ここ数日は「へい、へい、こっち！」とボールを求めては、やたら自分でシュートを打ちたがった。

「最近の慎吾、いいよなあ。なんか、輝《かがや》いてる」

昼休みに漢字テストの丸つけをしていると、ふだんは五十点ほどしか取れない慎吾が、八十点。ここ数日のがんばりに、赤尾《あかお》は思わず感嘆《かんたん》の声をもらした。だが、そんな担任《たんにん》の様子を見て、机《つくえ》をぐるりと取りかこんだ女子たちは笑いをかみ殺している。

「やだあ、先生。気づいてないの?」

「え、なんかあいつががんばってる理由があるのか?」

まったく見当もつかないといった表情《ひょうじょう》で京子《きょうこ》たちを見回す赤尾に、少女たちはとうとうこらえきれなくなり、声をあげて笑いはじめた。

「先生、来週に何かおっきなイベントがあるの忘《わす》れてない?」

「ん、イベント?　節分はもう終わったし……あ、バレンタイン!」

「当ったりー!」

慎吾の〝変身〟の理由が、ようやくのみこめた。もしかしたら、意中の女の子でもいるのかもしれない。同世代の女の子からすれば、そんながんばりも「ムダなあがき」と映《うつ》るのかもしれないが、赤尾にはそんな慎吾の姿《すがた》がたまらなく愛《いと》おしく思えた。

「うーん、寒いわねえ」

学年主任の青柳《あおやぎ》が、大量のプリント類が入ったプラスチック製《せい》のかごを抱《かか》えて職員室《しょくいんしつ》にもどってくる。職員室《しょくいんしつ》はやや効《き》きすぎとも思えるくらい暖房《だんぼう》が効いているが、教室から職員室までは冷えきった廊下《ろうか》を歩いてこなければならない。それはわずか数分の距離《きょり》だったが、体の芯《しん》まで冷えてしまうには十分だった。青柳は、袖口《そでぐち》で縮《ちぢ》こまった指先に息を吹《ふ》きかけながら、赤尾に声をかけた。

「この時期はいやね。バレンタインを控《ひか》えて、なんかクラスが浮《う》き足立《あしだ》ってる。赤尾先生のところは、だいじょうぶ？」

「いやあ、うちも同じですよ。男の子なんて、チョコほしさに授業中《じゅぎょうちゅう》よく手をあげるようになったりとか」

　青柳は苦笑いを浮かべて聞いている。

「まあ、いまは〝友チョコ〟の時代だから、そのがんばりが報《むく》われるかどうかはあやしいものだけどね……」

「えっ、〝友チョコ〟って何ですか？」

「あら、赤尾先生、ご存《ぞん》じないの？　〝友チョコ〟というのは女の子が女の子に、つまり友達どうしであげるチョコレートのことよ」

「友達どうしで？　なんか男子にはさみしい感じですね」

「そうなのよ、ここ数年かしら。男子にチョコあげるなんてキモチワルイ、みたいな」

「キモチワルイ……」

赤尾は、張《は》りきって手をあげる慎吾の姿《すがた》を思いうかべ、ちょっぴり顔を曇《くも》らせた。

「まあ、ほんとうに好きな男子がいる女子なんかは、こっそり家まで届《とど》けに行ったりしてるみたいだけどね」

「え、家にですか？　学校で渡《わた》すんじゃなくて？」

「だって、学校はチョコレート自体が持ちこみ禁止《きんし》じゃない」

「えっ、持ちこみ禁止!?」

思わず声が大きくなった赤尾の反応《はんのう》に、聞きかえされた青柳のほうが、むしろおどろきの表情《ひょうじょう》を浮《う》かべている。

「そうよ、ここは学校。だから、勉強と関係ないものを持ってきてはいけない。ちっともおかしな話ではないはずよ」

「いや、もちろんそうですけど……バレンタインデーだけは特別というか、むかしからその日だけは黙認《もくにん》という感じじゃありませんでしたっけ？」

青柳は軽くため息をつきながら、教員一年目の赤尾にその意図を説明した。

「むかしはそのへんもルーズだったからねえ。でも、クラスのなかでたくさんチョコをもらえる子と、一個《こ》ももらえない子がいたとして、もらえない子はどんな気持ちになります？」

「まあ、さみしいというか、みじめというか……」

「そういう思いをする子を出さないためにも、学校でのそうしたやりとりは禁止。どうしてもやりたいなら、放課後ご自由にどうぞ、となってるんです」

「そうですかあ……」

赤尾は巾着《きんちゃく》のように口をすぼめると、ふたたびパソコンの画面へと向かった。


二学期いっぱいで山部幸二《やまべこうじ》が転出し、教室には二十七の机《つくえ》がならぶ。ほかのクラスではインフルエンザの影響《えいきょう》もあって欠席者が相次いでいるが、三組は今日も全員出席。「空気が乾《かん》燥《そう》して風邪《かぜ》をひきやすくなるから」と、なかなかストーブをつけない赤尾の方針《ほうしん》が、もしかしたら功を奏《そう》しているのかもしれない。

帰りの会。担任《たんにん》が話をしようと黒板の前まで出てきているのに、京子たちはそれにも気づかず、このあとだれの家でチョコづくりをするかについておしゃべりしている。

「もしもし、お嬢《じょう》さまがた、よろしいでしょうか」

赤尾が苦笑いを浮《う》かべながら声をかけると、少女たちはあわててそれぞれの席へともどっていった。

「みんなも知っているように、明日はバレンタインデーです。去年までもそうだったからわかっていると思うけど、当然、学校には勉強に関係ないものを持ってきてはいけません。だから、もし学校にチョコレートを持ってくるような人がいたら、先生は怒《おこ》ります」

担任の話を、子どもたちはうるさそうに聞いている。だが、赤尾が「だけど」と切りだすと、子どもたちの表情《ひょうじょう》は一変し、期待に満ちた視線《しせん》を担任へと注いだ。

「こら、なにやってるんだ！　こんなもの学校に持ってきていいと思ってるのか！」

突然《とつぜん》のすごい剣幕《けんまく》に、子どもたちの体がビクッとふるえる。その様子に、赤尾はにやっと笑うと、声のトーンをいつもの調子にもどした。

「――と、いつもだったら怒《おこ》るけど、明日のバレンタインデーにかぎっては、先生、ちがう怒り方をします」

胸《むね》をなでおろした子どもたちは、いったい〝明日限定《げんてい》〟の怒り方がどんなものなのか、興《きょう》味深《みぶか》く見守っている。

「ほーらー、ダメだって言ったでしょう」

気味悪いほどの猫《ねこ》なで声《ごえ》。子どもたちからは大爆笑《だいばくしょう》がわき起こった。

「あはは、何それ。全然怒ってないじゃん！」

「じゃあ、持ってきてもいいってこと？」

教室のあちこちから、にぎやかな声があがる。

「だから、持ってきちゃダメなんだってば。『先生、怒るよ』と、いま言ったばかりだろ」

赤尾がいたずらっぽく笑うと、陽介が「はいはい。わかった、わかった」と両手をバタつかせた。

「でも、いまみたいに怒るのは先生だけです。ほかのクラスには、ほかのクラスのルールがある。そのあたり、みんなならわかることだよね」

この〝バレンタイン特別ルール〟があくまでも五年三組だけのものであることを伝え、青柳が担任《たんにん》する一組をはじめ、ほかのクラスに迷惑《めいわく》をかけることがないよう釘《くぎ》をさした。

「わかってるって。なあ、みんな！」

陽介の声に、子どもたちはにやにやしながら、うなずいてみせる。

「さようなら！」

日直の合図で一日の終わりが告げられると、いつもなら赤尾から叱《しか》られるまでランドセルを囲んで井戸端会議《いどばたかいぎ》を続ける女の子たちが、足早に教室をあとにしていく。

「先生、ありがとう！」

「先生にもあげるからねー。義理《ぎり》だけど！」

自分の横をすり抜《ぬ》けるようにして廊下《ろうか》へと出ていった京子たちに、赤尾は笑顔《えがお》で声をかけた。

「だから、持ってきちゃダメなんだぞー！」

その日は、朝から教室が華《はな》やかな空気に包まれていた。女の子たちが手にした紙袋《かみぶくろ》には思い思いにラッピングした手づくりチョコがつまっていて、友達の手づくりチョコと交換《こうかん》しては、「これ、かわいい」「超《ちょう》おいしそう！」などと相手のチョコをほめちぎっている。それは、本心ではどう思っていたとしても、最初からそうすることが決まっている〝エールの交換〟を見ているようでもあった。

もちろん、このふしぎな〝エールの交換〟にすべての女子が加わっているわけではない。こうした浮《うわ》ついたイベントにまったく興味《きょうみ》を示《しめ》さない文乃《あやの》のようなタイプの子もいれば、加わりたいのに輪に入れず、遠くからうらやましそうに視線《しせん》を投げかけているだけの子もいる。「チョコ持ちこみ禁止《きんし》」は、きっと後者のようなさみしい思いをする子どもにも配慮《はいりょ》をした結果のことなのだろう。

だが、子どもたちにも、いつかは大人の目の届《とど》かないところで人間関係を築《きず》いていかなければならないときが訪《おとず》れる。そのとき、からまった糸を解《と》きほぐすようにして人間関係を調整してくれる担任教師《たんにんきょうし》という便利な存在《そんざい》はもういない。そのことを考えれば、けっして転ぶことがないようにと、子どもたちが歩んでいく道からすべての凹凸《おうとつ》を取《と》り除《のぞ》いてしまう学校のあり方には、納得《なっとく》できなかった。嫉妬《しっと》や、葛藤《かっとう》や、もどかしさ——そうした感情《かんじょう》を経験《けいけん》させないまま子どもたちを社会に送りだすことのほうが無責任《むせきにん》だと感じたからこそ、赤尾は学校のルールに反してまで、チョコレートという火種をあえて教室に持ちこませたのだった。

「はい、これは赤尾先生に。こっちは白石《しらいし》先生ね」

「おお、ありがとうな……じゃなかった、『こら、持ってきちゃダメだろ』だ!」

「あはは。お返し、待ってるからあ」

きれいなリボンがかけられた包みは赤尾や白石にも届《とど》けられたが、女子から男子へ、という本来のベクトルでチョコの受《う》け渡《わた》しが行われている様子は、いまのところない。

「男子にチョコあげるなんてキモチワルイ、みたいな」

職員室《しょくいんしつ》で聞いた青柳の言葉が女子の本心でないことを、赤尾は願っていた。


「いっけねえ、消しゴム、消しゴム」

バレンタインデーにちなんでエクレアがデザートとして出てきた給食にひとしきり盛《も》りあがった直後の昼休み。慎吾は、理科室にうっかり消しゴムを忘《わす》れてきてしまったことに気づき、ひとり北校舎《きたこうしゃ》へと向かった。図工室や家庭科室といった専科《せんか》の教室がならぶ北校舎の三階は、授業中《じゅぎょうちゅう》こそ子どもたちの声でにぎわうが、休み時間になると人影《ひとかげ》もなく、ひっそりとしている。日当たりも悪いせいか、教室のある南校舎に比《くら》べてどこか湿《しめ》っぽく、夜になったら格好《かっこう》の肝《きも》だめしができそうな雰囲気《ふんいき》がある。

廊下側《ろうかがわ》の壁《かべ》一面に星座《せいざ》のポスターが貼《は》られた理科室にたどりつくと、慎吾は足を止めた。だれもいないはずの理科室から、小さな話し声がもれているのだ。扉《とびら》の中央にあるガラス窓《まど》から、そっと様子をうかがう。こちら向きに立っているのは、陽介だった。その手前に立って話をしているのは、ポニーテールを揺《ゆ》らす女の子。手には小さなハート柄《がら》がいくつも描《か》かれている紙袋《かみぶくろ》を持っている。慎吾は大きく目を見開いてその少女の横顔を確認《かくにん》すると、足音をしのばせて教室へともどっていった。

「先生、たいへんなの！　ちょっと教室まで来て！」

翌日《よくじつ》、始業前のあわただしい職員室《しょくいんしつ》に息をきらして駆《か》けこんできたのは、京子やさやかといっしょにいることが多い塚田詩織《つかだしおり》だった。あと少しで職員朝会が始まるという時間だったが、赤尾は詩織のあまりのあわてぶりにクラスでの異変《いへん》を感じとると、あわてて職員室を飛びだし、エレベーターに乗りこんだ。五年三組の教室の扉《とびら》を開ける。すると、黒板の前で泣きじゃくる京子の肩《かた》を抱《だ》くようにして、さやかが大きな声を出している。

「だから、だれがやったのかって聞いてるの！　このクラスのだれかなんでしょ！」

京子とさやかが背《せ》にした黒板には、ハートマークのついた、むかしながらの相合い傘《がさ》が描《か》かれている。名前の部分はすでに消されていたが、おそらく京子と男子のだれかの名前がそこにあったのだろう。

「あのね、先生。朝来たら、黒板に『陽介・京子』って。だれがやったのかはわからないんだけど……。それ見て、京子が泣きだしちゃったの」

となりにいた詩織が、つい数分前までそこに書かれていたのが、クラス一のイケメンの名前だったことを教えてくれた。

「よし、みんな。まずはすわろう。京子とさやかもだ」

　赤尾の声に、子どもたちがゆっくりと動きだす。京子も、さやかと詩織に付きそわれるようにして自分の席につくと、両腕《りょううで》で顔を隠《かく》すようにして机《つくえ》に突《つ》っ伏《ぷ》した。全員が席についた教室をぐるりと見回すと、赤尾は落ちついた口調で低い声を響《ひび》かせた。

「これを書いた人は、そんなに悪気があったわけじゃないのかもしれない。でも、実際《じっさい》に書かれた本人はとっても悲しい気持ちになったはずだし、クラスのみんなだっていい気持ちはしない。自分がしてしまったいたずら。きちんと責任《せきにん》を取って、みんなにあやまるべきなんじゃないかな」

　ほとんどの子が探《さぐ》りあうような視線《しせん》で〝犯人探《はんにんさが》し〟を行っていたが、ただひとり、慎吾だけはおびえたような目つきで赤尾を見上げていた。その視線に気づいた赤尾は、問いかけるように慎吾を見つめかえす。

「ごめんなさい……」

　調子に乗って軽はずみなこともしてしまうが、自分の非《ひ》に気づけば素直《すなお》にあやまることができる。それがこの少年の魅力《みりょく》でもあった。消えいるような声で自分がしたことを認《みと》める慎吾に、クラスじゅうの視線がいっせいに向けられる。

「どうして、そんなことしたんだ？」

　赤尾は、やさしく問いただした。

「昨日、理科室で――」

昼休みに、京子が陽介にチョコを渡《わた》すシーンを目撃《もくげき》してしまった。そして、からかいの気持ちが生じてしまったことを、慎吾は正直に告白した。

「何だよ、それ」

もうひとりの被害者《ひがいしゃ》である陽介は、照れもまじった不機嫌《ふきげん》そうな顔で慎吾をなじった。赤尾はそれを目で制《せい》すると、おだやかな、それでいて力のこもった言葉で、クラス全員に向けて語りかけた。

「だれかがだれかにチョコを渡してた。そんな場面を見たら、ちょっとテンションが上がって、からかったり、友達に話したくなってしまう気持ちはわからなくもない。でもさ、先生は思うんだ。人を好きになるって、この世の中でなによりもすばらしいことなんじゃないかって。考えてみようよ。みんなのお父さん、お母さんだって、おたがいを好きになったから結婚《けっこん》したわけだよね。そうして、みんなが生まれた。もし、そこに『好き』という気持ちがなかったら、みんなは生まれていないんだよ」

京子も顔を上げて、うつろな表情《ひょうじょう》で聞いている。黒板に落書きをした慎吾は、これまで見せたこともないような神妙《しんみょう》な顔つきで赤尾の顔を見つめていた。

「慎吾、わかるだろ。『好き』という気持ちがなければ、おまえだってここにいないんだよ」

無言で、うん、うんと涙目《なみだめ》になってうなずく慎吾のうしろから、「でもさ、先生」という、ぶっきらぼうな声が聞こえた。康平だった。

「慎吾の気持ちも、ちょっとは考えてよ。その、何ていうか……先生だってさ、目の前で自分の好きな女の子がだれかにチョコ渡《わた》してるとことか見たら、やっぱムリっしょ」

康平は、失恋《しつれん》のショックからいたずらをしてしまった仲間をかばうつもりだった。だが、結果的にクラスメイトの注目をふたたび集めてしまった慎吾は、耳たぶのあたりを真っ赤に染《そ》めながら、横目で康平をにらみつけている。思いがけない形で告白を受けた京子も、そして担任《たんにん》の赤尾も、おどろいた顔で〝ラクガキ王子〟を見つめていた。

「そっか。そうだったのか、慎吾……」

何か気のきいた言葉を――赤尾は必死に考えをめぐらせたが、恋《こい》に破《やぶ》れた小学五年生にかける適切《てきせつ》な言葉を、残念ながら持ちあわせていなかった。そのときだった。

「キモーイ」

教室の後方から、からかうような言葉が聞こえてくる。さやかだった。

「こんなとこでコクられる京子の気持ちも考えてよね」

慎吾は、ぎゅっとくちびるをかみしめて下を向いている。

「ホント、ホント。京子には好きな人がいるんだから、じゃましないでよ」

追いうちをかけたのは、この日の事件《じけん》を職員室《しょくいんしつ》まで知らせにきた詩織だった。

「そういう言い方はないだろう！　京子にも好きな人がいるように、慎吾にだって好きな人がいる。ちっともおかしなことじゃないだろう！」

赤尾がいつになく強い調子でそう言ったが、教室にはさやかと詩織の声を後押《あとお》しする女子のつぶやきが、さざ波のように広がっていった。

「だってねえ」

「出っ歯のくせに」

どこからか聞こえてきたその言葉に、慎吾の体がビクッと反応《はんのう》した。大きくせりだした特《とく》徴《ちょう》ある前歯。それまでは気にも留《と》めていなかったが、四年生のときにはじめて好きな女の子ができると、とたんにじゃまなものとして映《うつ》るようになった。鏡で見るたびに、ため息が出る。指でつまんで、ぐいぐいと中に押《お》しこもうと試《ため》したこともあったが、頑丈《がんじょう》な二本のそれはビクともしなかった。

「どうせぼくはキモイよ！」

自分でも思っていたより大きな声が出てしまったことに、慎吾自身がおどろいていた。クラス一の美少女に、出っ歯のお調子者。それがけっしてお似合《にあ》いのふたりでないことくらい、慎吾にだってわかっている。それに比《くら》べて陽介なら――。

クラスじゅうが静まりかえり、その視線《しせん》は肩《かた》をふるわせる細身の少年へと注がれていた。

「どうせ、ぼくには取《と》り柄《え》なんかないから……」

京子に認《みと》めてもらいたくて、あれこれ努力してみた。漢字テストで百点を取ってやろうと死《し》にもの狂《ぐる》いで勉強したが、八十点しか取れなかった。カッコよくシュートを決める姿《すがた》を見てもらおうと張《は》りきったが、陽介や康平のようにはうまくいかなかった。

「ぼくには、取り柄なんかないから……」

そんなことない、そんなことないよ――。赤尾はその言葉を必死に打ち消そうとして、慎吾をあらゆる角度から見つめてみたが、彼《かれ》の自信をすぐさま回復《かいふく》させるような言葉をかけてやることは、ついにできなかった。目の前でずぶずぶと音を立てながら沼《ぬま》に沈《しず》みこんでいく慎吾のことを救えないまま、赤尾は始業のチャイムが冷たく鳴りひびくのを聞いていた。


翌日《よくじつ》も、その翌日も、慎吾は学校に来なかった。ガラス越《ご》しに射《さ》しこむあたたかな光を求めて窓際《まどぎわ》に集まる女子たちの視線《しせん》も、自然と慎吾の席へと注がれた。

「あいつさあ、何なの。こうやって休まれると、なんか京子のせいみたいじゃん」

「学校休んで、みんなの同情《どうじょう》ひこうと思ってんじゃないの?」

さやかも、詩織も、口では毒のある言葉を吐《は》いていたが、そこに感情はつまっていない。ただ京子に気をつかっているだけにも聞こえた。

「フラれたから学校休んじゃうなんて、バッカみたい……」

さやかの力ないつぶやきを耳にしながら、京子はぼんやりと窓の外をながめていた。そこには、ひとつのボールを群《む》れになって追いかける陽介たち男子の姿《すがた》があった。

「へい、こっち!」

パスを受けると、くるりと体を反転させ、すばやく右足を振《ふ》りぬく。追いすがる康平よりもわずかに早く陽介の足先から放たれたボールは、赤い三角コーンでつくったゴールの右すみに飛びこんでいく。

「やったあ……ふう」

いつものように、ゴールを決めたと同時に、両手を大きく広げて振りむく陽介。だが、そこに顔をくしゃくしゃにして飛びついてくる慎吾の姿《すがた》はない。

「もういいや、やめようぜ」

陽介はたいしてよろこびもせず、いきなり仲間に背《せ》を向けて歩きだした。

「えっ。陽介、もうやめちゃうの？　まだあと五分もあるよ」

「なんか、つまんねえ……。先生もサッカー来てくんないし」

「うん、そうだな」

康平も小走りに陽介のあとを追い、校舎《こうしゃ》へと向かいはじめた。

「はあ」

陽介が天を仰《あお》いで、ため息をもらした。

「なんだろうなあ……。あいつがいないと、つまんないよ」

教師《きょうし》らしからぬ黒のレザージャケットを着こんだ紺野《こんの》が、商店街へと向かう道の途中《とちゅう》で赤尾のほうを振《ふ》りかえった。

「なあ、今日はやけに寒いから、焼き鳥じゃなくて鍋《なべ》にでもしないか？」

「え、ああ……いいですよ。おまかせします」

これまでも赤尾がトラブルを抱《かか》え、その相談に乗ってきたことは何度もあった。だが、そのたびに「紺野先生、どうしたらいいんでしょう？」とみずからアドバイスを求めては解決《かいけつ》へと向かう強さが、赤尾にはあった。ところが、今回はどうしたのだろう。まるで、数日前からしおれた花のように職員室《しょくいんしつ》でぐったりとしている姿《すがた》に、紺野は心配をつのらせていた。

「で、いったいどうしたんだ？」

主役であるはずのモツが見えなくなるほど山盛《やまも》りのキャベツを鍋に押《お》しこみながら、紺野は悩《なや》める新人教師《きょうし》に水を向けた。赤尾は、大きめの氷に梅酒が注がれたグラスをかたむけながら、ゆっくりと重たい口を開いた。

「ぼく、あいつのこと傷《きず》つけてしまったんです。取り返しがつかないかもしれない……」

途中《とちゅう》、何度もため息をつきながら、バレンタインデーにまつわる事件《じけん》のこと、その日から、慎吾が学校を休んでいることを紺野に打ちあけた。

「そっか……まあ、あれだな。赤尾慎之介《しんのすけ》という教師は、自分が思っていたほどには子どもを見れていなかった、ということだ」

いまもっとも耳にしたくないセリフが、するどく胸《むね》に突《つ》きささる。だが、それは同時に、ここ数日、赤尾が痛《いた》いほど感じていたことでもあった。

「ほんとうに、そのとおりだと思います……」

人にはそれぞれ個性《こせい》があって、それぞれに得意分野がある——。この一年、そんな思いでクラスの子どもたちを見てきたつもりだった。だが、慎吾に「ぼくには取《と》り柄《え》なんてない」と言われ、とっさに返す言葉が見つからなかった。いや、慎吾だけではない。「君のよさは、これだよ」と明快《めいかい》な答えを示《しめ》してあげられる子が、二十七人のうち何人いるだろう。

「みんなには、それぞれによさがある」

口ではそんなカッコイイことを言っておきながら、じつはひとりひとりの個性なんて、少しも見つけられていなかったのだ。

「最後に、いい勉強をしたじゃないか」

紺野が、やさしくほほえんだ。

「わかっているつもり、ではダメ。本気でわかろうとしないと、子どもたちのことなんてわからない。一年目の最後にそのことに気づけただけでも、大きいんじゃないか」

さっきまで鍋《なべ》にあふれんばかりだったキャベツの山は、熱をうけてしんなりとなって、鍋のなかにおとなしくおさまっていた。

「たしかに、紺野先生の言うとおりかもしれない。でも、ぼくにとってはまだまだ続く道でも、ぼくとあいつらの関係は、あと一ヵ月しかないんです。四月からは、ちがう先生があのクラスを受け持つことになるかもしれない。そう考えると、悔《くや》しくて、申《もう》し訳《わけ》なくて……」

グラスのなかでうまくバランスを取っていたふたつの氷も、時間とともに溶《と》けはじめ、ついにカランと音を立てて、梅酒のなかに沈《しず》んでいった。赤尾はふたたびグラスをかたむけると、ほどよい濃《こ》さになった梅酒を口にふくんだ。

「もう、荒木《あらき》の家には行ったのか？」

紺野は、ふさぎこむ赤尾の気持ちを少しでも前に向けようと今後の解決策《かいけつさく》について水を向けてみたが、赤尾は目をふせて首を横に振《ふ》るばかりだった。

「いま行っても、意味がないと思うんです。あいつにかけてやる言葉が、まだ見つかっていないから……」


五年三組の教室では、学級会が行われていた。前から二列目の席は、ぽつんとさみしく空いたまま。

「今日の議題は、来月つくる文集で書く作文のテーマについてです。何か意見のある人はいませんか？」

司会をつとめる文乃が、声を張《は》りあげる。みんな顔を見合わせて、それぞれに好き勝手な意見をつぶやいている。最初に手をあげたのは、陽介だった。

「え、フツーに『五年三組の思い出』とかでいいんじゃないの？　そしたら、みんな遠足とか運動会とか、自由に書けるじゃん」

　ぱらぱらとまばらな拍手《はくしゅ》が起こる。つぎに指名されたのは、公彦《きみひこ》。

「えっと、『ぼくの、わたしの得意なこと』っていうのはどうかな。赤尾先生は、いつも『何かで一番になれ』って言ってるし。それぞれが自分の得意なことについて書くっていう」

　この意見には、あちこちからブーイングがあがった。

「ええ、それむずかしいよー」

「そりゃ、教授《きょうじゅ》はいいよな。『勉強が得意』って書きゃいいんだもん」

「自分のことって、よくわからないよね。友達のことなら書けそうな気もするけど……」

　最後に聞こえてきたのは、さやかの声だっただろうか。その言葉に、赤尾はもたれかかっていた車いすから飛び起きるようにして聞きかえした。

「さやか、いま何て言った？」

「え、いや……自分のいいところなんてよくわからないけど、友達のことなら書けそうかなって」

「それだ！」

　赤尾はそのまま車いすを中央まで進ませて司会の文乃のとなりまで行くと、子どもたちに向かって声をかけた。

「みんな、すまない。先生のわがままを聞いてくれないか。学級会の途中《とちゅう》だし、まだ話し合いの結論《けつろん》も出ていないのにほんとうに申《もう》し訳《わけ》ないんだけど、いまどうしてもやってほしいことがあるんだ。学級会の続きはまた明日……ということでもかまわないかな?」

赤尾の提案《ていあん》に、文乃が「みんな、どうですか?」とたずねる。

「べつにいいんじゃん?」

「まあ、先生がそこまで言うなら……」

子どもたちの反応《はんのう》にホッと胸《むね》をなでおろした赤尾は、白石に指示《しじ》を出し、棚《たな》のファイルから五年三組の名簿《めいぼ》を取りだした。タテにはずらりと子どもたちの氏名がならび、その横には一行ずつコメントを書きこめるような空欄《くうらん》が設《もう》けられている。これは、通知表作成に役立てようと、運動会や遠足、学習発表会などでそれぞれ子どもがどのようにがんばったかを書きとめておくため、赤尾が作成したものだった。

「なに、これ? 名簿じゃん」

「これ、どうすればいいの?」

白石が急いでコピーしてきたクラス名簿を配られた子どもたちは、困惑《こんわく》ぎみにそのB《ビー》5判《ばん》の白い紙を見つめていた。名簿が全員に行きわたったことを確認《かくにん》すると、赤尾が口を開く。

「いまから、みんなにはその表に『友達のいいところ』を書きこんでいってほしいんだ。長く書く必要はない。たった一行でいいから、『この子は、こんなところがすばらしい』と先生に教えてほしいんだ」

配られた名簿の意味をようやく理解《りかい》した子どもたちは、「わあ、おもしろそう！」「全員分も書けるかなあ」と口々に感想をつぶやきながら、白い紙をながめていた。まもなく教室から話し声が聞こえなくなると、子どもたちが鉛筆《えんぴつ》を走らせる音、そして机《つくえ》と机のあいだをゆっくりと回る車いすのモーター音だけが静かに響《ひび》いた。

車いすに乗った赤尾が、子どもたちの書きこみをのぞきこんでいく。公彦の頭のよさ。康平のすぐれた運動能力《うんどうのうりょく》。だれでも気づきそうな内容《ないよう》ももちろんあったが、そこには赤尾が知らないような子どもたちの魅力《みりょく》がぎっしり書きこまれていた。

「そうか、あの子にはそんないいところがあったのか」

「へえ、あいつにはそんな意外な面が！」

コメントを目にするたび、赤尾には大きな発見やおどろきがあった。

(知らぬは担任《たんにん》ばかりなり、だったのかもしれないな……)

もちろん、「荒木慎吾」の欄《らん》にも、子どもたちのあたたかな目線がつまっていた。

「五年三組のいやし系《けい》キャラ」

「われらがムードメーカー！」

オレは、どうしてこんな言葉のひとつもかけてやれなかったんだろう──。子どもたちのコメントに、赤尾はあらためて自分の力不足を痛感《つうかん》していた。

その日の放課後、赤尾は白石とともに慎吾の家を訪《おとず》れた。やや年季の入った白い壁《かべ》に、群《ぐん》青色《じょういろ》の三角屋根。「荒木」と書かれた表札のわきにあるチャイムを鳴らすと、インターホン越《ご》しに聞きおぼえのある声が聞こえてきた。ＰＴＡ《ピーティーエー》でクラス代表をつとめる母の咲江《さきえ》だった。

（前にも、こんなことがあったなあ……）

赤尾は、上ばき事件《じけん》をきっかけに学校に来なくなった文乃のことを思いだしていた。あれから、もう一年近くがたっていた。その間、五年三組にはいろいろな出来事が起こったが、こうして振《ふ》りかえってみれば、ムダなことなどひとつもない。そのすべてが、子どもたちの成長につながっていると胸《むね》を張《は》って言えた。

案内されたリビングのソファーにすわると、咲江は「先生、ちょっとお待ちくださいね」と軽《かろ》やかにキッチンへと消えていった。子どもが不安定な状態《じょうたい》にあるとき、同じように落ちこんでしまう親もいれば、どこ吹《ふ》く風とあっけらかんとしている親もいる。咲江は、まちがいなく後者のタイプだった。

「お待たせしました」

咲江が手にしたトレイには、ティーカップが三つと、オレンジジュースが入ったグラスがひとつ、そして包装紙《ほうそうし》にくるまれた四つのマドレーヌがのせられていた。

「慎吾、おやつよー」

意外にもたやすくそのドアは開いて、慎吾がひょっこり顔をのぞかせた。

「あ、先生……いらっしゃい」

バツの悪そうな顔でリビングまで出てくると、カーペットの上にちょこんと正座《せいざ》した。

「ママー、これ、もう食べていい？」

思っていたよりも元気そうな姿《すがた》に胸《むね》をなでおろした。もしかしたら、慎吾自身もきまりが悪くなって学校に来られず、何かきっかけを探《さが》していたのかもしれない。

「慎吾、みんな心配しているぞ」

欲張《よくば》ってほおばったマドレーヌが突然《とつぜん》のどにつかえたのか、慎吾はごほごほと咳《せ》きこみながら、オレンジジュースで一気に流しこんだ。

「はあ、はあ……そんなこと、ないでしょ。だって……ぼくのこと、キモイって」

目のはしにうっすらと浮《う》かんだ涙《なみだ》は、きっと洋菓子《ようがし》に咳きこんだせいだけではなかった。

「そんなことだれも思ってないって。な、明日から学校おいでよ」

慎吾は、ふだんあまり見せたことのない陰《かげ》のある表情《ひょうじょう》で、飲みかけのオレンジジュースが入ったグラスを見つめていた。

「ぼく、お休みしてるあいだ、ずっと考えてたんだけどね……やっぱり見つからなかった」

「ん、何が？」

「ぼくの、取《と》り柄《え》」

その言葉に、赤尾と白石は顔を見合わせてにやりと笑うと、うなずきあった。

「なあ、慎吾。ちょっと家の外まで来てくれないか？」

「え、外に？　なんで？」

「いいから、いいから」

白石はその手を引くようにして玄関《げんかん》まで連れていくと、慎吾に靴《くつ》をはかせた。扉《とびら》を開ける。そこには、よく知った仲間の顔がならんでいた。

「みんな……」

はじめに声をかけたのは、陽介だった。

「ばーか。いつまで、うじうじしてんだよ。おまえがいないと……サッカーやってても、何やっててもおもしろくないんだよ！」

「陽介……」

陽介のとなりに立っていた康平が、照れながらもそのあとに続く。

「おまえ、自分で取《と》り柄《え》ないとか言ってるけどさ、ベイブレード、チョー強《つえ》えし。オレ、いっつも負けてんじゃん」

つぎに口を開いたのは、いちばん右端《みぎはし》にいたさやかだった。

「聞いたよ。二学期の終業式の日、わたしの弟が学校から持ちかえる荷物が多すぎて困《こま》ってたら、『いいよ、ぼくが持っていくから』って、家の前まで送ってくれたんでしょ。それまではただのお調子者だとか思ってたけど……いいとこあるじゃん」

「えへへ」

慎吾は、照れくさそうに頭をかいた。

「わたしは……」

京子が口を開くと、慎吾の顔がとたんにピリリと引きしまった。

「わたしは、この五年三組が好き。だって、毎日、笑い声が絶《た》えなくって、楽しいんだもん。でも、この三日間で気づいたんだ。このクラスに笑い声があふれてたのは、慎吾がいてくれたからなんだって。みんなを楽しませてくれる、幸せな気持ちにさせてくれる、そんな才能《さいのう》がきっと慎吾にはあるんだと思うよ」

「京子ちゃん……」

泣いたらいいのか。笑ったらいいのか。もう、慎吾には、よくわからなかった。

「慎吾のいいところ、みんながいっぱい教えてくれたな」

不意に聞こえたうしろからの声に振《ふ》りむくと、赤尾が車いすの上でほほえんでいた。

「明日、ぜってえ来いよな」

「待ってるからな！」

口々にさけぶクラスメイトに、慎吾は大きく手を振った。

ひさしぶりに二十七名全員が顔をそろえた五年三組。二時間目の授業《じゅぎょう》は、道徳《どうとく》だった。

白石が子どもたちに配る紙には、一篇《ぺん》の詩が書かれていた。

「わたしと……小鳥と……すずと？　へんな題名！」

配られたプリントを手にした陽介が、思わず素直《すなお》な感想をもらす。

「これはね、金子《かねこ》みすゞさんという人が書いた詩なんだけど、まずは最初にみんなで声に出して読んでみようか」

赤尾の合図で、子どもたちがタイミングを合わせて口を開く。

わたしが両手をひろげても、
お空はちっともとべないが、
とべる小鳥はわたしのように、
地面《じべた》をはやくは走れない。

わたしがからだをゆすっても、
きれいな音はでないけど、
あの鳴るすずはわたしのように
たくさんなうたは知らないよ。

すずと、小鳥と、それからわたし、
みんなちがって、みんないい。

子どもたちが最後まで読み終えると、赤尾はすばやくつぎの指示《しじ》を出した。

「じゃあ、今度はそれぞれ声を出さずに読んでみよう。そして、読み終わったら、この詩のなかで作者がいちばん伝えたいことが書かれていると思う一行に、線を引いてごらん」

見てまわると、ほとんどの子が同じところに鉛筆《えんぴつ》で印をつけている。

「そうだね。先生も、金子みすゞさんは、最後の『みんなちがって、みんないい』ということを伝えたかったんじゃないかなと思う。じゃあさ、みすゞさんは、『何が』ちがっていてもいいよ、と言っているのかな?」

赤尾の問いかけに、慎吾が「顔!」と答えると、「そんなのあたりまえだろ!」とすかさず陽介からツッコミが入る。ようやく復活《ふっかつ》した掛《か》け合《あ》いに、クラスがひさしぶりにわいた。

ひとしきり笑いがおさまった頃《ころ》、京子があらためて手をあげた。

「みんなの……いいところ?」

「うん。たしかにみんなのいいところ、得意なところはちがっていていい。でも、それだけかな。もう一度、この詩をよく読んで、みすゞさんが伝えたかったことを考えてみよう」

しばらくすると、分析力《ぶんせきりょく》にすぐれた公彦の手があがった。

「できないこと、苦手なこと？」

公彦の言うとおり、この詩をじっくり読みといていくと、「空をとべない」「地面《じべた》をはやく走れない」「きれいな音がでない」「たくさんのうたは知らない」と、そこには〝できないこと〟ばかりがならんでいることに気づく。

「みんなには、それぞれ、『できること、できないこと』、『得意なこと、不得意なこと』がある。それはあたりまえのことで、そんなことで友達をうらやましがったり、自分にがっかりする必要なんてない。自分には、自分なりのよさがある」

「先生、それ〝個性《こせい》〟っていうんだよね」

陽介の言葉に、赤尾が深くうなずく。

「今日はみんなに、自分の〝個性〟について考えてもらいたいんだ。プリントを裏返《うらがえ》してごらん」

その詩が書かれたプリントの裏には、空欄《くうらん》を用いたひとつの文章が書かれていた。

「わたしは［　　　　　　　］だけど、［　　　　　　　］だよ」

その一文に「なるほど！」という表情《ひょうじょう》をしている子もいれば、「なんだ、これは？」と、困惑《こんわく》ぎみの子もいる。赤尾が説明を加える。

「ひとつめの［　　］には、自分のできないこと、苦手なことを書いてみてほしい。そして、ふたつめの［　　］には——」

「自分のいいところ、得意なこと！」

担任《たんにん》の言葉を待たずして答えを口にしてしまった慎吾に苦笑いを浮《う》かべながら、赤尾はゆっくりうなずいた。

「そのとおり。すると、そこにみんなの〝個性《こせい》〟が見えてくる」

とまどいながらも、鉛筆《えんぴつ》をにぎって取り組みはじめた子どもたちのあいだを、赤尾は車いすでゆっくりと回った。

「わたしは［勉強がきらい］だけど、［サッカーは大好き］だよ」

康平らしい直球勝負の答えに、思わず笑《え》みがこぼれる。

「わたしは［水泳が苦手］だけど、［一生けん命に練習したん］だよ」

ひたむきに努力できることも、自分のよさのひとつだと考えている公彦。さすがの回答だった。ほかの子も、それぞれに苦心しながら、照れながら、自分自身と向きあっている様子がうかがえた。

背《せ》の高い電動車いすが、いよいよ慎吾の席へと差しかかる。のぞくのがこわい気もした。

だが、きっと彼《かれ》なりにこの授業《じゅぎょう》から何かを感じとってくれたはず——そう信じて、赤尾はそっと少年の肩越《かたご》しにプリントをのぞきこんだ。

「わたしは［女の子にモテない］だけど、［みんなを幸せな気持ちにする力があるん］だよ」

赤尾は目を閉《と》じて、昨日のシーンを思いだした。

「みんなを楽しませてくれる、幸せな気持ちにさせてくれる、そんな才能《さいのう》がきっと慎吾にはあるんだと思うよ」

あのとき玄関先《げんかんさき》で京子に言葉をかけられたおかげで、慎吾はすでに自分の〝個性《こせい》〟を見つけだしていたのかもしれない。教師《きょうし》によるどんな授業《じゅぎょう》よりも、やはり子どもどうしの関《かか》わりのなかでより多くの学びや気づきがあることに、赤尾はわずかな嫉妬《しっと》を感じるとともに、うれしく思っていた。

「さあ、そろそろ時間だ。うしろの人、プリントを集めてきてくれるか」

数十秒後には、二十七人のきらめく個性がつまったプリントが教卓《きょうたく》に集められた。二時間目を終えるチャイムが、ちょうど聞こえてくる。

「よっしゃ、中休みだ！」

「おい、慎吾。サッカーやろうぜ」

仲間からの誘《さそ》いに、慎吾ははじけるような笑顔《えがお》でうなずき返した。

「先生もやろうよ。早く、早く！」

「よーし、いま行くからな」

オレンジ色のボールを片手《かたて》に教室を駆《か》けだしていった子どもたちのあとを追うように、赤尾の電動車いすが廊下《ろうか》に向かって走りだした。
五年三組に、いつもの笑顔がもどってきた。

エピローグ

「先生、一年間、ほんとうにお世話になりました」

さっき体育館で終わったばかりの修了式《しゅうりょうしき》。五年三組の代表として校長先生から修了証《しゅうりょうしょう》を受けとった公彦《きみひこ》が、担任《たんにん》に向かって右手を差しだした。赤尾《あかお》が笑顔《えがお》で突《つ》きだした短い腕《うで》をぎゅっとにぎりしめると、教授《きょうじゅ》はくちびるをかみしめて教室を出ていった。

「先生、またね！」

「六年になって、もしちがうクラスの担任になっても、たまにはサッカーしようね」

陽介《ようすけ》と康平《こうへい》が、教室の扉《とびら》のあたりから手を振《ふ》っている。

「おう、一年間ありがとな！」

車いすの上から、にっこり笑って赤尾も手を振った。

「先生……ほんとうにありがとうございました」

さやか、詩織《しおり》のふたりと連れだってやってきた京子《きょうこ》の目には、涙《なみだ》があふれていた。

「先生、六年生になってもぜったい三組の担任《たんにん》になってください」

「わたしもまた赤尾先生のクラスがいい！」

「そうだな。まあ、校長先生が決めることだから何とも言えないけど……そうなれたらいいな」

赤尾は照れ笑いを浮《う》かべながら、三人を見送った。掲示物《けいじぶつ》もすべてはがした。子どもたちの荷物も何もない。色を失った教室に、赤尾と白石《しらいし》だけがいた。

「終わった、なあ」

「終わったねえ……慎《しん》ちゃん」

ふたりは固い握手《あくしゅ》をかわすと、からっぽの教室をぐるりと見回した。いろいろなことがあった。よろこびや悲しみ、挫折《ざせつ》や成長――この教室を舞台《ぶたい》に、子どもたちは多くのことを経験《けいけん》し、今日、赤尾のもとから巣立っていった。

「なあ、優作《ゆうさく》」

「ん、なに？」

白石は、親友を振《ふ》りかえった。

「……ありがとな」

「なんだよ、突然《とつぜん》」

予期していなかった言葉に、思わず吹《ふ》きだしそうになる。

「いや、なんかさ、急にそう思ったんだ。やっぱり、オレみたいなカラダをしたやつが小学校で先生やるなんて、フツーに考えればムリな話じゃん。でも、できちゃった。一年間、こうしてこのクラスをぶじに受け持つことができた。それも、すべておまえという存在《そんざい》がいてくれたからだなって」

「そんなことないって。ぼくなんて何もしてないよ。慎ちゃんが、本気で子どもたちにぶつかっていった。あいつらが、それに応《こた》えた。ただ、それだけだよ」

赤尾はもう一度、「ありがとう」とつぶやくと、ふたたび顔を上げて教室を見回した。

「慎ちゃん、行こうか」

そう言って廊下《ろうか》に向かって歩きだした白石を、車いすの上の赤尾が呼《よ》びとめた。

「優作、先に行っててくれ。オレ、もうちょっと教室にいるから」

「そっか。わかった」

白石も去り、ついにひとりきりになった教室で、赤尾は修了式《しゅうりょうしき》前日にできあがったばかりのクラス文集をそっと開いた。文集のタイトルは、『色えんぴつ』。学級会で子どもたちが話し合い、「五年三組も、色えんぴつのように色とりどり。個性豊《こせいゆた》かな仲間が集まっているから」という理由で、これに決まった。

「将来《しょうらい》の夢《ゆめ》」

同じテーマで書かれた二十七人の文章には、文集のタイトルどおり、色とりどりの個性と未来への希望があふれていた。

「ぼくはお父さんみたいなりっぱな学者になろうと思います。それには、もっともっと勉強をしなければいけないと思うけど、ぼくは勉強をしたり、本を読んだりするのがきらいではないから、きっとがんばれると思います。いまはあだ名が『教授《きょうじゅ》』だけど、大人になったら本物の『教授』になれるようにがんばりたいです。工藤《くどう》公彦」

「わたしは、困《こま》っている人を助けてあげるのが好きです。それは、わたしが遠足でけがをして困っているときにみんなが助けてくれて、すごくうれしかったからです。だから、わたしはけがや病気をして困っている人を助けてあげられる、やさしい看《かん》ご師《し》さんになりたいです。栗原《くりはら》さやか」

「ぼくは、二十歳《はたち》になったときに五年三組のクラス会をしたいです。みんな、どんな仕事をしてるのかな。まだ大学生なのかな。カノジョとかできてるのかな。ぼくがまとめ役をするから、みんな来てね。二十歳になったみんなと会いたいから。そのときは、ぶーちゃんも来てくれるかな。赤尾先生も、白石先生も、ぜったい来てよ。沢村《さわむら》陽介」

「わたしはおかしづくりが大好きなので、ケーキ屋さんで働いてみたいです。あ、でも美容《びよう》師《し》さんとかネイリストもいいかなと思っています。お客さんをきれいにしてあげて、それでよろこんでもらえたら、わたしもうれしいからです。でも、やっぱり好きな人と結婚《けっこん》して、いいお母さんになるのがいちばんの夢《ゆめ》かなあ。安藤《あんどう》京子」

「いままで夢とか考えたことなかったけど、みんなが『慎吾《しんご》はみんなを楽しい気持ちにさせてくれる』と言ってくれたのがすごくうれしかったから、ぼくはお笑い芸人になりたいです。まずはヨシモトに入って、いっぱい練習して、日本じゅうの人を笑わせられるようになりたいです。荒木《あらき》慎吾」

「わたしの夢は、いつまでもお父さんとお母さんとお姉ちゃんとわたしの四人で楽しく暮《く》らすこと。そのためにも、しっかり勉強をして、たくさんお金をかせげるような仕事につきたいです。あと、本を読むのが好きだから、ほんとうはちょっと小説を書いてみたい気もします。でも、やっぱりムリかな。中西文乃《なかにしあやの》」

「いままでサッカー選手になりたいとか思ってたけど、いまは学校の先生もいいかなって思ってます。オレは頭よくないし、勉強きらいだけど、赤尾先生みたいな先生になれたらいいなって。そしたら、オレも子どもたちに言ってやるんだ。『ぜってえ、あきらめるな。ナンバーワンを目指すんだ』って。川口《かわぐち》康平」

ときに笑い声をあげそうになったり、ときに涙《なみだ》ぐみそうになったりしながら、全員分の〝未来〟を読み終えた赤尾は、二十七色の『色えんぴつ』を大事そうにかばんにしまうと、車いすの操作《そうさ》レバーに手をかけた。開けっぱなしの扉《とびら》の前まで来ると、くるりと車いすの向きを変えてもう一度、教室のほうを振《ふ》りかえる。そして、だれもいない教室に向かって、深々と頭を下げた。

顔を上げた赤尾の視線《しせん》が、思い出のつまった黒板で止まる。そこには、「わたしと小鳥とすずと」の授業《じゅぎょう》をもとに、子どもたちが残してくれた大きなメッセージが書かれていた。

《赤尾先生には手も足もないけれど、わたしたちには最高の先生だったよ》

乙武洋匡　おとたけ・ひろただ

1976年4月6日、東京都生まれ。早稲田大学在学中に出版した『五体不満足』（講談社）が多くの人々の共感を呼ぶ。卒業後はスポーツライターとして活躍。その後、2005年4月より、東京都新宿区教育委員会非常勤職員。07年4月〜10年3月、杉並区立杉並第四小学校教諭として教壇に立った。おもな著書に、『W杯戦士×乙武洋匡フィールド・インタビュー』（文藝春秋）、『65』（幻冬舎文庫、日野原重明氏との対談集）、『だから、僕は学校へ行く！』（講談社）など。子ども向けの仕事に、『プレゼント』（中央法規出版）、『かっくん　どうしてボクだけしかくいの？』『ちいさなさかな　ピピ』（ともに講談社）、『とってもだいすきドラえもん』（小学館）、『Flowers』（マガジンハウス）などがある。

本文中の詩は、『金子みすゞ童謡集　わたしと小鳥とすずと』（ＪＵＬＡ出版局）より引用しました。

だいじょうぶ3組《くみ》

2010年9月2日　第1刷発行
2010年9月16日　第3刷発行

著者……乙武洋匡《おとたけひろただ》

発行者……鈴木 哲
発行所……株式会社講談社
〒112-8001
東京都文京区音羽2-12-21
電話　出版部　03-5395-3535
販売部　03-5395-3625
業務部　03-5395-3615
印刷所……慶昌堂印刷株式会社
製本所……島田製本株式会社
JASRAC 出 1009661-001

N.D.C.913 278p 20cm ISBN978-4-06-216299-9